KB178254

감사해요 지금까지,
그리고 앞으로도

감사해요 지금까지, 그리고 앞으로도

발   행 | 2023년 12월 20일
저   자 | 김웅현
펴낸이 | 한건희
펴낸곳 | 주식회사 부크크
출판사등록 | 2014.07.15.(제2014-16호)
주   소 | 서울특별시 금천구 가산디지털1로 119 SK트윈타워 A동 305호
전   화 | 1670-8316
이메일 | info@bookk.co.kr

ISBN | 979-11-410-6141-8

www.bookk.co.kr

감사해요 지금까지,
그리고 앞으로도

김응현 지음

목차

바쁜 입시 생활 중 자그마한 자투리 시간들을 모아
한 글자 한 글자 써 내려간 소중한 책입니다.

어떤 누구라도 마지막까지 함께이고 싶은
소중한 사람들이 있듯이,

소중한 많은 사람들에게 받은 감사한 마음을
오래오래 기억하고 싶은 저의 소망을 담은 책입니다.

좋은 친구가 되어주고 싶고,
좋은 후배가 되어주고 싶고,
좋은 선배가 되어주고 싶고,
좋은 제자가 되어드리고 싶고,
좋은 아들이 되어드리고 싶은,

길게는 80년을 더 살아갈 응현이에게 이 책을 바칩니다.

1. 동그란 안경 윤리 선생님

통합사회를 배우던 풋풋한 1학년 때였다. 키도 크고 체격도 좋아 보이는 선생님께서 동글동글한 안경을 쓰시고 우리 반 수업에 들어오셨다. 정치 문제에 대하여도 관심이 많아 보이셨고, 환경문제, 각종 스포츠 등등에도 관심이 많아 보이시는 선생님이셨다. 첫 만남에 가장 기억에 남았다고 한 점이라면 바로 취미가 '낚시'라고 하신 거였다. 사람을 겉모습으로 판단해서는 절대로 안 되지만, 낚시랑은 조금 거리가 있어 보여서 순간 흠칫했던 게 아닐까 싶다. 모두가 어색한 첫 수업이었지만 선생님께서 준비하신 게임에 열심히 참여하고 대답을 열심히 하니 선생님께서

"나는 저렇게 대답 잘해 주는 게 좋아! 다들 틀리더라도 대답 열심히 해줘" 라고 말해주셨다.

남들이 보기엔 어떤지는 잘 모르지만 지금 고등학교 3학년인 나에게 아직까지도 기억에 남는 칭찬이다. 옳거나 정답을 말해야 하는 대답은 자신 없지만 틀리더라도 큰 소리로 대답만 해줘도 좋아해 주신다니! 첫 만남부터 알 수 있었다. 나랑 정말 잘 맞을 거 같은 선생님이란 것을!

선생님께서는 항상 수업을 시작할 때 우리와 함께 '사회 이슈'에 관하여 이야기를 하고 시작하셨다. 정치적인 이야기도 좋았고, 스포츠와 관련된 이야기도, 뉴스에 나왔던 여러 사건·사고에 관한 이야기도 좋았다. 그저 "이런 뉴스를 보고 왔어요!" 정도의 말 한마디만 있다면 그다음부터는 선생님께서 자연스럽게 말을 이어가 주셨다. 선생님께서는 사회 문제에 관해 관심이 많으셔서 이러한 주제로 우리와 함께 이야기를 하고 싶어 하시는 거

라고 생각했다. 그래서 사회 시간 전에는 인터넷 뉴스 란을 찾아 보기도 하면서 여러 사회 이슈들을 직접 조사 했다. 그렇게 한 번 두 번 선생님과 사회 이슈에 대하여 이야기하는 것이 자연스러워질 때쯤 우리는 아무것도 모 르는 아가 같았던 1학년을 지나 2학년이 될 준비를 하 고 있었다.

2학년이 되기까지도 1주일 정도 남은 시점, 학교의 방 송반이었던 나는 전자칠판과 관련한 점검이 필요해 학교 로 불려가게 되었다. 방송반으로서 당연히 해야 하는 일 이었지만 방학에 불려나가는 게 그리 좋지만은 않았다. 하지만 내가 뭘 할 수 있는가?! 이런 귀찮은 점검, 하기 싫다고 농민 봉기를 일으킬 것도 아니기에 묵묵하게 나 에게 주어진 일에 최선을 다하였다.

하기 싫은 일이었지만 열심히 한 것에 대한 보답이었 을까? 난 마지막으로 담당 선생님께 점검이 끝났다고 말 씀드리려 간 본부 교무실에서 뜻밖의 정보를 보게 되었 다. 바로 우리와 함께 사회 이슈에 관해 이야기를 했던 그 선생님께서 나의 2학년 담임선생님이라는 정보를 말 이다! 학교에서 근무하시는 선생님 모두 정말 훌륭하고 멋있으시지만, 가능하다면 나와 잘 맞는 선생님께서 담임선생님이길 바랬던 나에게 정말 최고의 정보였다. 집으로 가는 시간은 대부분 직장인들의 퇴근 시간이었는데, 난 장담할 수 있다. 집으로 가는 그 모든 사람 중에 그 순간만큼은 내가 가장 행복했을 것이다.

그 후 일주일이 지났다. 평소 같으면 왜 벌써 방학이 끝나는 거냐! 하며 부릴 수 있는 투정이란 투정은 모두 부리고 있었겠지만, 이번에는 다르다. 누구보다 착실하게, 셔츠부터 넥타이, 그리고 자켓까지, 학생 때 입어야 가장 이쁘다는 교복을 최대한 단정하게 입었던 날이었다.

늦지 않게 학교에 도착하여 선생님이 들어오시기만을 기다리고 있었다. 얼마나 지났을까? 아침조회 시작을 알리는 종소리가 울리는 순간, 1학년 때 통합사회 선생님으로 만났던 그 선생님께서 이제는 우리 반의 담임 선생님으로 들어오셨다!

'달변가'라는 말이 잘 어울리시는 우리 선생님께서는 어색했던 학기 초의 분위기를 좋은 말솜씨로 금방 풀어주시며 여러 이야기들을 해주셨다. 그중 가장 기억에 남는 이야기 중 하나는 역시 대학 입학과 관련된 이야기

로, 대학수학능력시험 최저학력기준 (이하 '수능 최저')
에 관한 이야기였다.

우리학교 3학년 선배님들이 항상 수능 최저를 못 맞춰
많이들 원하는 대학에 떨어진다고 말씀해 주셨다. 사실
나의 모의고사 성적만 봐도 충분히 이해가 가는 말이었
다. 얼마나 많은 선배님들이 수능 최저에서 발목을 잡히
시는지. 우리반 친구들도 이런일을 겪지 않기 위해 지금
부터라도 조금씩 준비해두면 분명 큰 힘이 될 것이라는
것이 선생님의 말씀이셨다.

우리 학교에서 많은 학생이 가고 싶어 하는 대학교의
수능 최저를 맞추기 위해서는, 3개 과목의 등급 합이 11
이내로 나와야 했다. 이걸 국어, 영어. 수학으로 맞출 수
있을까?? 사실 그때의 나의 성적을 보았을 땐 정말 많이
힘들어 보였지만 희망 같은 소식이 하나 있었다. 바로
탐구 과목을 3과목 중 한 과목으로 대체하여 반영시킬
수 있다는 것이었다!

선생님께서는 이 부분을 강조하시며 국어 영어 수학 3
과목 모두 다 잘하기가 어렵다면 사회탐구 과목을 잘 선
택하여 높은 점수를 받아 가는 것도 좋은 방법이라고 전

해주셨다. 그리고 선생님께서 가르치시는 과목인 '윤리' 과목은 열심히 따라와 주고, 복습만 잘해준다면 2등급까지는 꼭 만들어 주겠다고 하셨다. 학생들이 듣기에 이보다 더 멋있을 수 없는, 듣기만 해도 너무 든든한 말씀이었다. 이것이 우리 2학년 5반과 담임선생님과의 첫 만남이었다.

선생님의 윤리 수업은 1학년 통합사회 수업과 마찬가지로 각종 사회 문제에 대하여 이야기를 하고 시작하였다. 우리가 가장 많은 이야기를 나눈 주제는 '축구'와 같이 스포츠에 관한 것이었다. 그렇지만, 사실 내가 더 관심 있고 흥미 있게 들었던 이야기는 '사회적 약자를 적극적으로 배려해 줘야 하지 않을까??'에 관한 이야기였다.

나는 어릴 때부터 나 하나도 행복하게 살기 힘든 세상이라며 남들을 돕는 것은 가능하다면 하지 말라고 말씀하시는 부모님 밑에서 자라왔다. 따라서 늘 '사회적 약자를 배려하는 건 나중 일이다!'라고 생각하였고, 그런 나의 생각과는 반대되는 선생님의 의견에 좀 더 귀 기울였던 것 같다.

선생님의 이러한 사회적 약자에 관한 내용은 내가 아직까지도 생생하게 기억하고 있는 수업이다. 또한 사회적 약자에 대한 내용은 선생님께서도 좋아하시는 철학자인 '롤스'의 정의론에 관한 수업에서 조금 더 확실하게 드러났다. 롤스는 '항상 최소 수혜자, 즉 사회적 약자에게 최대 이익을 가져다주어야 한다!' 라고 말했다. 이를 위해 '무지의 베일'이라는 가상의 개념을 고안하여 자신의 위치나 입장에 대해 전혀 모르는 상태로 규칙 등을 만들어낸다면, 모두가 사회적 약자를 우선으로 배려하게 되고, 그 결과 정의로운 사회가 될 수 있다는 주장을 펼친 사상가였다.

선생님의 깔끔한 수업도 좋았지만, 나는 '롤스가 얼마나 똑똑하면 저런 말을 할 수 있을까?' 라는 생각으로 가득 찼다. 사회적 약자를 배려 해야 하는 이유를 그 누구보다 간단하지만 명확하게, 나와 같이 조금은 다른 생각을 가지고 있었던 사람마저도 절로 고개를 끄덕이게 하는 멋진 이론을 이해한 기분이었다.

그 후부터 난 사회적 약자에 대하여 관심이 많아졌다. 같은 내용의 뉴스를 보더라도 '저 사람은 왜 저럴까?' 라고 생각했던 과거와는 다르게 '저 사람을 저렇게 만들어

놓은 상황이 문제는 아닐까?' 하며 생각하게 되었다. 겉으로만 보이는 스스로가 상황은 물론, 잘 보이지는 않는 그런 모습까지 고려해 볼 수 있는 사람으로 성장하였다고 느끼는 계기가 되기도 했다. 또 부모님께서 '남들을 돕는 건 나중에 해라.' 라고 말씀하셨다는 이유만으로 사회적 약자를 외면했던 스스로에게 부끄럽다고 느끼기도 하였다.

어쩌면 선생님께서 늘 수업 시작 전에 사회 이슈에 관하여 이야기하신 것은 이러한 이야기를 즐기는 선생님의 취향, 우리가 사회 이슈에 관심 갖기를 바라는 마음뿐만 아니라

사회적 약자에게도 관심을 갖고 최소 수혜자가 최대 이익을 받을 수 있도록 노력하기를 바라는 선생님의 작은 바람이 들어가 있었던 게 아닐까?

사회 이슈에 관하여 이야기하고 시작하는 수업 방식, 머리에 쏙쏙 박혔던 윤리 수업 외에도, 선생님께서 1년간 담임 선생님으로서 우리들에게 해주셨던 지도는 정말 훌륭하셨다.

왜 학교 규칙을 잘 지켜야 할까? 라는 질문에 모두가 납득할 만큼 명확하게 대답을 해줄 수 있는 사람이 얼마나 있을까? 단지 규칙이니까? 학교의 질서유지를 위해서? 모두 틀린 말들은 아니었지만, 선생님께서 보시는 시각은 조금 달랐다.

1학년 때의 난 학교 규칙을 잘 지켰을까? 라고 스스로에게 묻는다면, 누구보다 솔직하게, 그렇지 못하다고 대답할 것 같다. 꽤 많은 규칙을 어기며 1년을 보냈기 때문이다.

친구들과 함께 휴대폰을 내지 않았던 일, 점심 급식이 마음에 들지 않은 날 친구들과 함께 배달 음식을 시켜 먹은 일 등 나는 많은 규칙을 어겨가며 1학년 생활을 보냈다. 그리고 이 행동을 할 수 있었던 이유는 '규칙' 이란 그저 '학교의 질서 유지' 만을 위해 존재하는 것으로 생 생각했기 때문이다, 그렇다면 이미 많은 학생들이 어기고 있기에 나도 어긴다고 문제 될 건 없다고 여겼다. 그리고 이 부끄러운 생각은 2학년 초반에도 역시 변함 없었다.

2학년 학기 초가 조금씩 지나가던 어느 날, 점심 급식이 너무나도 먹기 싫었던 나와 친구는 또 한 번 몰래 배달음식을 시켜 먹기로 하였다. 메뉴는 바로 햄버거! 이름만 들어도 너무 맛있는 음식이 아닌가! 많은 학생들이 마음에 들지 않은 점심메뉴로 투정을 부릴 때 나와 내 친구는 햄버거라는 최고의 점심을 먹을 수 있었다.

그러나 아뿔싸! 선생님들께서는 나를 포함한 많은 학생들이 배달 음식을 시켜 먹은 것을 알게 되었고, 배달 음식을 시켜 먹은 모두를 지도할 거라고 하셨다. 나는 직접 적발된 것은 아니었으나, 걸린 친구들이 나와 내 친구를 지목하며

"이 두 명도 먹었어요"

라고 말하는 바람에 잘못을 들키게 되었다. 그때까지도 걸린 나와 내 친구는 "좀 잘 좀 숨어서 먹지" 라는 대화를 주고받으며 반성은커녕, 혼나는 이유를 친구 탓으로 돌리고 있었다.

배달 음식을 시켜 먹은 친구들 대부분이 각자의 담임선생님과 이야기를 나누기 시작했다. 물론 끝까지 걸리지 않은 친구들도 있었다. 이미 걸렸던 친구들에게서 이름이 나온 나 역시 마찬가지로 담임 선생님과 이야기를 나누기 위해

교무실, 선생님 자리로 들어갔다. 선생님은 나를 보자마자 너무 아쉽다는 표정으로 먼저 말을 꺼내 주셨다.

"응현이 학교생활 너무너무 잘 해주고 있는데 이런 부분은 조금 고쳐주면 너무 고마울 것 같아."

배달 음식을 시켜 먹었다는 사실은 분명 잘못이 맞기에 죄송하다고 말씀드리면서도, 난 개인적으로 궁금하기도 하고 해보고 싶었던 말을, 선생님께 조심히 말씀드리기 시작하였다.

"똑같이 배달 음식을 시켜 먹고는 누구는 걸려서 혼나고, 누구는 걸리지 않아서 혼나지 않는 게 억울해요."

사실 많이 순화해서 말했을 뿐이지 본질은
"똑같이 배달 음식을 시켜 먹었는데 저만 혼나는 건 억울해요. 규칙을 어긴 사람 모두를 벌 주지 못하고 걸린 사람만 벌을 주는 건 문제가 있다고 생각해요."였다.

선생님은 내 말에 전적으로 동의를 해주셨다. 자신도 마음 같아선 모두를 잡아두고 대판 혼내고 싶다고 말씀하시기도 하셨다. 하지만 선생님께서는 조금 다른 입장의 이야기를 해주셨다.

"그렇다고 학교 규칙을 잘 지키는 친구들이 피해보게 둘 순 없잖아."

처음에는 저 말의 의미를 정확하게 이해하지 못하였지만, 이내 조금 더 생각해 보니 그 의미를 알 수 있었다. 난 내가 배달음식을 시켜 먹음으로써 학교 규칙을 잘 지켰던 수많은 학생에게 피해를 줬던 것이었다. 정말 납득하지 않을 수 없었다. 자신의 입장에서만 생각하니 받아들이기 어려웠던 일을 다른 친구들 입장에서 생각하니 받아들이는 건 일도 아니었다.

이후 나는 그 어떤 규칙도 어기지 않고 학교생활을 하고 있다. 교복을 입기 싫은 날이면 항상 교복을 잘 입고 다니는 친구들을 생각하고, 배달음식을 시켜 먹고 싶을 때면 먹기 싫은 급식도 참고 먹어보는 훌륭한 친구들을 떠올리고 있다. 또한 우리 학급의 휴대폰 수거 담당으로써 늘 휴대폰을 잘 내주는 친구들이 있기에, 휴대폰을 내지 않으려는 친구들도 휴대폰을 낼 수 있도록, 규칙을 잘 지키는 친구들이 피해를 보지 않을 수 있도록, 나도 나름대로의 노력을 해보고 있는 중이다.

점심으로 햄버거를 먹고 다른 때와 마찬가지로 똑같이 걸리지 않았더라면, 고등학교 3학년인 지금까지도 난 몰래 규칙을 어겨가며 생활하고 있지 않을까? 그때 선생님과 대화를 할 수 있었기에, 지금처럼 학교 규칙을 잘 지키며 생활하는 나름 멋진 학생이 될 수 있었다고 생각한다.

　선생님께서는 언제나 학생들을 위해 때로는 따뜻하게, 때로는 누구보다 엄격하게, 학생들이 잘못된 길로 가지 않을 수 있도록 앞장서 우리를 이끌어 주셨다.

　어느 날 어린 친구들이 와서

　"좋은 선생님 이란 어떤 선생님인가요?"
　라고 나에게 물어본다면, 난,
　"내 고등학교 2학년 담임선생님 같은 사람."

　이라고 답변할 것이다.

　난 교사가 되고 싶다. 정확하게는 위 선생님 같은 교사가 되고 싶다.

교원 능력 평가에서 우연히 보았던, 선생님의 선생님으로써의 다짐은 "교사 스스로도 많이 부족하지만, 그럼에도 학생들에게 모범적인 모습을 보여주도록 노력한다." 였다. 도대체 어떤 부분이 부족하시다고 생각하시는걸까. 물론 사람이기에 모든 부분에서 완벽할 순 없겠지만, 그럼에도 난 어떤 부분이 부족하시다고 생각하시는지는 잘 모르겠다. 다만 이런 훌륭한 선생님조차도 자신의 부족한 점을 보완하기 위해 끊임없이 노력하신다는 것이다.

부족한 점 투성이인 내가 선생님처럼 훌륭한 교사가 되기 위해서 얼마나 더 많은 점을 고쳐 나가야 할까. 그 정도의 노력을 가늠하기 쉽지 않지만, 나는 내가 도전하고 시도할 수 있는 한 많은 점을 고쳐 나가고 노력해 학생들에게 꼭 필요한 그런 훌륭한 교사가 될 것이다. 또 그런 훌륭한 교사가 된다면, 내가 선생님께 많은 사랑을 받았던 것처럼, 자라나는 소중한 학생들에게 나의 사랑을 가득 주고 싶다.

2. 수학이 최고야!

수학! 수학! 수학은 최고야!!

나와 같이 1학년과 2학년 수학 수업을 들어 보았다면, 수학을 싫어하는 친구들도 기억하고 있을 노래일 것이다. 학생들이 수학 수업을 시작하기 전부터 힘들어하는 모습이 보인다면 저 노래를 부르셨기 때문이다. 저 노래에 공감하는 학생이 얼마나 있었을까. 그리고, 만약 지금 우리 반 수학 수업 시간에 들어오셔서 저 노래를 불러주신다고 하면 공감하는 학생이 과연 얼마나 있을까. 친구들 대부분은 공감하지 못하고, 싫어할게 뻔하지만, 적어도 지금의 난, 저 수학은 최고라는 문장을 그 누구보다 인정하고, 공감하는 사람 중에 한 명이다.

중학교 시절까지의 난, 수학을 그렇게까지 좋아하지 않았다. 그저 대학을 가기 위해서 높은 점수를 받아야 하는, 이 이상, 이 이하도 아닌 딱 이 정도의 학문. 죽어라 다양한 함수와 공식들을 배우고 공부하지만 수학 문제를 풀지 않는다면 대학 입시 외에는 그 어떤 곳에서도 써먹지 못할 거 같은 지루한 학문. 싫어하진 않지만, 그렇다고 좋아하는 건 아닌 학문. 그저 그런 학문. 싫어했다면 더 싫어했지 대부분은 나와 비슷하게 생각하고 있었을 거라고 생각한다. 그리고 난 고등학교에 와서 이 생각들을 완전히 바꿔줄 수학 선생님 한 분을 만나게 되었다.

그 선생님께서는 첫인상부터 남다르셨다. 들어오면서 외치신 말이 바로 수학은 최고! 라는 말이었기 때문이다. 반 친구들과 직접 말을 한 건 아니지만, 그 순간, 친구들이 지었던 표정을 보면 모두 나와 똑같은 생각을 하고 있었다고 난 확신할 수 있다.

"아니 어떻게 이런 따분한 학문이 재밌을 수 있지.."

수학은 최고라는 믿을 수 없는 말씀을 하신 후 선생님의 성함을 칠판에 적어주시고 우리들의 이름도 알고 싶으시다며 한 명 한 명 출석을 불러가며 눈을 마주치기 시작하셨다. 요즘은 출석을 부르는 선생님이 거의 없으시기에, 출석을 부르는 게 신기하다고 느낄 때쯤 선생님은 내 이름을 부르셨고 난 힘차게 네! 라고 대답하였다.

보통은 이러고 내 다음 번호로 넘어가야 하지만, 내 얼굴을 보신 후 선생님께서는 궁금하신 점이 생기셨는지, 나에게 질문을 하나 하셨다.

"응현이는 수학을 좋아하니? 똘똘하게 생긴 외모가 귀여운 게, 수학을 아주 잘할 거 같아!"

귀엽다는 말은 기분이 좋았기에 감사했지만, 사실 이 질문은 학기 초에 받은 질문 중 가장 난감했던 질문이었다. 만약 다른 과목 선생님이셨다면 그냥 편하게 좋아하지 않는다고 말하겠지만, 지금 나에게 이 질문을 하신 그 선생님은 '수학' 선생님이시기 때문이다. 선생님의 기분을 상하게 하고 싶지 않았지만, 그렇다고 거짓말은 하기 싫었던 나는 그 짧은 순간에 잘 돌아가지도 않는 머리를 그 누구보다 빠르게 돌려보았고, 그 결과 내가 선생님께 드린 답변은

"너무 어려운 과목인 거 같아요." 였다.

조금은 동문서답 같아 보일 수 있지만, 선생님의 마음을 상하게 하지 않으면서, 좋아하진 않는다는 걸 내포할 수 있는, 다시 생각해 봐도 당시 내가 할 수 있는 최고의 답변이었다. 답을 들은 선생님께서는 웃으시면서.

"그럼 수학은 어렵지! 내가 우리 응현이도 잘 따라올 수 있도록 열심히 노력해 볼게, 잘 따라와 줘!"

선생님의 밝은 에너지로 인해 나의 기분도 좋아지는 것 같아 많이 감사했지만, 너무 어렵게 느끼던 수학이라는 학문의 수업을 잘 따라갈 자신은 없었다. 어떻게 대답을 할지 고민하던 나의 대답은
"노력해 볼게요!" 였다.

이후 선생님께서는 다시 온화한 미소를 지어 주시곤, 다음 번호 친구의 이름을 부르셨다. 이것이 선생님과의

특별하다면 특별했던 첫 만남이었다.

선생님의 수업은 항상 열정이 가득하셨다. 물론 수학이라는 학문 자체를 싫어하고 어려워서 피하는 학생들이 많기에 늘 자는 친구들이 많은 수업 시간 이었지만, 그럼에도 선생님의 수업은 늘 열정으로 가득했다. 그런 열정에 보답하고 싶었던 난, 언제나 선생님의 질문에 큰 소리로 대답하였고, 선생님께서는 그런 나를 많이 이뻐해 주셨다.

그렇게 다른 날과 마찬가지로 선생님 수업을 열심히 들은 후 다음 시간을 미리 준비하려고 하는 순간, 선생님께서는 나를 부르셨다. 그리곤 나에게 '수학 클리닉'이라는 걸 같이 해보자고 하셨다. 당시 수학 클리닉이라는 걸 한 번도 들어 본 적이 없었기에 난 선생님께 수학 클리닉이 뭐냐고 여쭤보았고, 선생님께서는

"응현이가 문제를 풀어오면 선생님과 1 대 1로 피드백도 받고, 응현이가 생각하지 못했던 접근법을 선생님과 함께 찾아보는거야!"

처음 이 '수학 클리닉'이라는 걸 들은순간 나는,

"오! 너무 좋은 프로그램 아닌가?"

라고 생각하였다. 선생님같이 수학을 정말 잘하시는 사람이 나의 문제 풀이를 피드백해 주시고, 수학 실력을 올려주시기 위해 따로 더 노력해 주신다니! 나에게는 정말 거절할 이유가 없는, 너무나도 좋은 제안이었다.

하루에 한 문제씩 같이 공부하기로 하였으니, 난 수학 공부를 적어도 하루에 한 번은 꼭 하는 걸로 강제된다는 점이 있었다. 그렇지만 어차피 그냥 빈둥빈둥 노는 시간이 더 많았기에 흔쾌히 좋아요! 라고 대답하였다.

수학 클리닉을 하기로 한 후 첫날, 난 내가 생각하기에 조금 어려웠던 문제를 클리닉 노트에 잘 정리하여 처음으로 선생님께 가져가 보았다. 선생님은 노트를 한번 쭉 읽어보시면서 문제를 바로 파악하시곤, 왜 이런 풀이를 하였는지 묻기 시작하셨다. 그 순간마다 난

"여기선 이런 생각을 해서 이렇게 풀이하였고, 여기서는 이런 생각을 했어요!" 라고 대답했다.

선생님께서는 내 말 한마디 한마디를 경청해 주신 후

설명이 끝났을 땐 훌륭한 풀이라고 박수를 쳐주셨다. 수학으로 칭찬을 받아본 적이 거의 없기에, 더 기분이 좋았던 칭찬이었다. 그리곤 선생님께서는

"이런 발상은 어떨까?"

하며 내가 써간 문제에 다양한 발상과 접근법을 말해주셨다. 처음에는 정말 놀라웠다. 나랑 똑같은 문제를 보고 있는 것이 맞는 건가? 라는 생각이 들 정도로 선생님의 다양한 접근법은, 수학을 그저 단 하나밖에 없는 정답을 찾는 거라고 생각했던 나에게 신비로울 정도였다.

내가 힘들게 구했던 선분 AB의 길이를 선생님께서는 중학교 수학 교육 과정인 '도형의 닮음' 이라는 조건을 활용해서서 정말 1초 만에 구해내시고, 나는 복잡한 계산을 통해 구했던 도형의 넓이도 선생님께서는, 마찬가지로 중학교 수학 과정인 '닮은 도형의 넓이의 비'를 활용하여 1초 만에 답을 구해내는 풀이를 보여주셨다. 그리고 이렇게 몇 번을 더 문제를 풀어가고, 피드백을 받으며 그제서야 나는 수학이라는 학문은 이런 학문이구나를 느낄 수 있었다.

그렇게 선생님과의 수학 클리닉을 시작한지 1년이 넘어 2학년이 될 때쯤에 난 수학에 욕심이 생기기 시작하였다. 그리고 조금 더 정확하게는 수학 뿐만아니라 다른 과목에도 더더욱 욕심이 생기기 시작하였다. 정말 잘 못하던 과목인 수학 점수가 오르기 시작하니 다른과목도 모두 잘 할 수 있을것만 같은 자신감으로 가득찼다. 그렇기에 난 이때부터 공부를 정말 열심히 하였다. 잘하지는 못하였지만, 노력하다보면 언젠가는 돌려받을거라고 생각하고 무작정 열심히 하기시작하였다.

사실 이렇게 열심히 하여 성적이 많이 올랐다는 흔하면서도 뻔하지만, 보기만 해도 행복한 엔딩이었으면 얼마나 좋았을까? 조금은 우울하게도 난 고등학생다운 공부를 시작하면서부터 성적이 많이 오르기도 하였지만, 더 중요하다고 할 수 있는 부모님과의 거리, 정확하게는 아버지와의 거리가 수없이 말싸움으로 인해 셀 수 없을만큼 멀어지기 시작하였다.

우리 아버지가 평소에도 가부장적인가?를 생각해 본다면 나는 '잘 모르겠다'고 대답하겠지만, 우리 아버지께서는 자신의 생각과 다르고, 자신의 말이 틀렸다고 말하면 그 즉시 가부장적인 아버지로 변하신다. 내가 어릴때는 아버지의 말씀이면 모두 맞다고 생각하였기에 내가 그렇게까지 잘못하지 않은 것 같음에도 먼저 죄송하다고 말씀을 드리곤 하였다. 하지만 지금은 어떤가. 성인이라고는 절대 말할 수 없는 나이이지만, 하나 자신있게 주장할 수 있는 말은 바로 우리 그래도 많이 컸다, 이다.

크면 클수록, 학년이 올라가면 올라갈수록, 아버지가 날 혼내는게 부당하다고 느끼는 점이 많아졌다. 또 오히려 아버지의 잘못이 훨씬 더 큰 것 같지만 혼나는건 나인 상황이 너무 많이 만들어지곤 했다. 여기에 공부 스트레스까지 겹친 나는 저런 아버지의 행동을 더 이상은 참지 못하고 할 말은 하고 살기 시작하였다.

"이건 아버지 잘못도 있는거 같아요."

나는 정말 머리 끝까지 치밀어 오르는 화를 참아내며 말 할 수 있는 가장 온화한 말투로 말하였다. 화내실때는 그 누구보다 가부장적이신데, 저런 말을 내가 했을 때 아버지의 반응은 정말 예상하는 그대로였다. 지금 대드는거냐부터 시작하여 정말 나쁜 말이란 나쁜 말은 모조리 들을 수 있었다. 수많은 험한 말을 듣는 외중에도 가장 충격적이었던 아버지의 말은

"그래 내가 잘못 했을수도 있어, 근데 그걸 아들이 아버지에게 그렇게 말하는게 말이 된다고 생각해?"였다.

그저 내 귀에는 '아버지의 말이면 다 따라라.' 정도로 밖에 들리지 않았다. 지금까지 살아오면서 내가 가장 싫어했던 사람은 본인이 잘못했음에도 그 잘못은 인정하지 않으며, 고치려고 노력하지 않는 부류였다. 그런 모습이 나의 아버지와 겹쳐질만한 말이었기에, 내가 들었던 말 중에서 단연코 최악의 말이라고 할 수 있을 것 같다.

어머니와 친누나 모두 그 일은 아버지 잘못이라고 하였다. 나 역시 아무리 생각하고, 또 생각하고, 다시 한번 돌아보아도 내 잘못은 정말 눈꼽만큼도 보이지 않았고 아버지 혼자서 화내신게 전부였다. 그럼에도 난 아버지에게

"넌 내가 잘못키운 자식이다" 라는 말을 듣게 되었다.

남들보다 훨씬 더 많은 기회를 받았음에도 가장 잘하는 것 하나 찾지 못하고, 그렇기에 시작한 공부마저 잘하지 못했기에 저 말을 부정할 생각은 없었다. 또 나에게 그렇게 큰 상처로 다가오지도 않았다. 다만 저녁 내

내 들은 아버지의 욕설들은 이미 내 한계를 넘어갔고 이후부터는 난 아버지에게 예의 따위는 갖추지 않기 시작하였다.

정말 최선을 다하여 예의를 갖추고 말씀을 드릴때도 이정도였는데 그마저도 갖추지 않는다면 우리 집안은 어떨까? '안봐도 비디오'라는 말이 찰떡같이 어울리는 상황이었다. 난 아버지와 눈만 마주치면 싸우기 시작하였고, 난 그렇게 집이 너무나도 싫어졌다.

학교에선 학교 나름대로, 학원에선 학원 나름대로 힘들어 죽겠는 이 모든 일과를 마치고 집에 들어오면 더 끔찍한 지옥이 펼쳐지 시작하였다. 하루하루가 힘들었고 쉴 수 있는 시간은 오르지 잠든 시간 뿐이었다. 다른 친구들이 내 상황이었다면 얼마나 버틸 수 있었을까? 딱 1주일 하고 반 정도 버티고 내 체력은 바닥을 찍었다. 그리고 태어나서 처음으로, 아프거나 가족 행사등의 이유로 학교를 어쩔수 없이 빠져야 하는 상황이 아님에도 불구하고 담임선생님께 하루만 학교를 쉬겠다고 말씀을 드렸다. 하루 종일 이 상황을 어떻게 해야할 지를 고민하기 시작하였다.

"그냥 집을 나갈까."

가장 많이 했던 생각이고, 가장 하고 싶었던 행동이었다. 하지만 현실적으로 가능하지 못한 행동이기에 다른 방법을 고민하고 또 고민했음에도, 난 정말 어떤 좋은 방법도 떠올리지 못하였다. 그렇게 그냥 하루를 보낸 후에 난 다시 학교로 등교하여 누군가를 찾아갔다. 바로 나와 1년 넘도록 수학 클리닉을 같이 해주신 수학 선생님이었다. 도저히 이해하지 못할 것 같은 아버지의 입장도, 연세가 비슷하면서도 차분하게 잘 말씀해주시는 선생님을 통해 듣는다면 내가 조금은 아버지를 이해할 수 있지 않을까? 라는 생각에서 말이다.

다른 선생님도 많으신 교무실에서는 말씀을 드리기가 어려웠다. 나는 선생님과 함께 운동자으로 나가, 신나게 놀고 있는 친구들을 보면서 집에서 있었던 일들에 대하여 조금씩 얘기를 하기 시작하였다. 선생님께서는 나의 이야기를 하나하나 경청해 주셨다. 너무 잘 들어주셔서 말을 하다가 울컥 했을 정도였다. 그래서일까? 나는 혼자서만 가지고 있었던 속마음까지 모두 털어 놓았고, 그 전까지는 대답 정도만 해주시면서 들어주시던 선생님께서는 너무 고생했다며 나를 꼭 안아주셨다. 그리고 그 순간 난 지금까지 힘겹게 참아왔던 눈물을 왈칵 쏟기 시작하였다.

정말 힘든 상황 속에서 대견하게 상황을 해결해 나가려는 나의 모습이 너무나도 멋있다며, 가출을 하거나, 나쁜길로 들어서는 충동적인 행동보다는 가장 좋은 해결방법이 무엇일지 찾아가려고 노력하는 훌륭한 학생이라며 나를 진심을 다해 위로해 주셨다. 선생님 말씀에 따르면 자신과 함께 교무실을 사용하는 선생님들께서는 나에 대한 칭찬을 정말 많이들 하신다고 해주셨다. 어떤 학생이 저 말을 듣고서 기분 좋아지지 않을 수 있을까. 부족한 점 투성이인 학생임에도 불구하고 선생님들께서 나를 많이 이뻐해주신다는 말을 들으니, 부정적인 생각으로 가득 채워지던 내 머릿속이 조금은 긍정적인 생각으로 바뀌는 기분이었다. 그 이후 비록 아버지와의 관계가 좋아지지는 못하였지만, 많은 사람들한테 사랑을 받고 있다는 사실을 항상 생각하며 다시 하루하루를 열심히 살아갈 수 있게 되었다.

많이 방황하고 있었던 시기에 수학 선생님을 찾아 갔던 것은 지금도 정말 잘한 선택이었다고 생각하고 있다. 나에게 수학이라는 학문의 재미뿐만 아니라 '어른이라면 이런 모습을 보여야 하는게 아닐까?' 하는 생각까지 심어주신 너무나도 멋진 선생님이시자, 어른이 되어주셨다. 나 또한 교과목은 다를지라도 교사를 꿈꾸고 있기에 이번 고등학교 3학년을 잘 보내고, 좋은 대학교에 입학하여, 임용고시에 합격해 누구보다 당당하게 선생님께 자랑하러 가고 싶은 마음이다. 그리고 처음 진로를 교사로 정했을 때 선생님과 했었던 '좋은 교사'가 되겠다던 약속에 한걸음 더 다가갔다고, 좋은 교사 뿐만 아니라 그 누가 봐도 훌륭한 어른이 되겠다고 말씀드리고 싶다. 그러기 위해서 나는 오늘 하루도 최선을 다해 열심히 공부를 하고 있다. 고등학교 3학년 입시가 끝나고 이 책을 다시 읽어 볼 때, 원하는 대학교에 입학해서 임용고시를 준비하는 나의 모습을 조금은 더 기대하는 중이다.

3. 사리야 축구하자

초등학교 1학년 때부터 고등학교 3학년까지 같은 반을 단 한 번도 하지 못한 우연이 있다면 믿을 것인가? 여기 그 힘든 일을 해낸 나와 내 친구가 있다. 그저 성이 송씨라는 이유로 송사리라고 불려온 내 친구와의 이야기이다. 언제 어디서 어떻게 만났는지 둘 다 전혀 기억하지 못하지만, 초등학교, 중학교 그리고 고등학교 까지 함께 자라온 우리는 오늘도 저녁 9시까지 야간 자율 학습을 하며 하루하루를 보내고 있다.

우리는 만나면 항상 '축구'에 관한 이야기를 하곤 한다. 둘 다 중학교 3년을 '축구'라는 스포츠에 바쳤다고 해도 무방할 정도로 축구를 열심히 했기 때문이다.

중학교 입학 당시 축구부에 들어가기로 했던 우리 둘은 평소에 좋아했던 스포츠를 전문적으로 배운다는 생각에 아주 들뜬 마음으로 첫 훈련에 참여했다! 우리가 축구부를 너무 얕보았던 탓일까? 학교의 '운동부' 라는 곳은 나와 송사리의 생각보다도 훨씬 더 무서웠다.

당시에 선생님보다도 무서웠던 3학년 선배님들과 축구부 감독 선생님의 날카로운 눈빛은 몇 년이 지난 지금도 잊을 수가 없다. 초등학교 때부터 열심히 축구를 해왔던 다른 친구들과는 달리, 나와 송사리는 이번이 정식적으로 축구를 배우는 첫 시간이었기에 부족한 실력만큼 많은 무서운 눈초리를 받아야만 했다.

첫 훈련에서 너무나도 부족한 실력임을 뼈저리게 느낀 나와 송사리는 훈련에 열심히 참여하는 것은 물론, 이마저도 너무 부족하다 느껴 남들보다 30분 일찍 운동장에 나와 공을 차기 시작했다. 트래핑, 패스, 슛과 같이 기본적이지만 필수적인 기본기를 향상시키기 위해 누구보다 일찍 운동장에 나왔던 것이다. 노력과 간절함이 닿아서 일까? 나와 송사리는 1년 동안 놀라울 정도로 성장했다. 눈만 마주쳐도 무서웠던 선배님들에게 칭찬을 받기도 하고 감독님께서도 더 나은 실력을 갖게된 우리 둘을 좋게 봐주셨다. 그렇게 난 당당한 '중앙 미드필더'로 송사리는 '윙백 수비수'로, 다른 누가 와도 대체할 수 없는 축구부의 주전 선수로서 인정받으며 2학년으로 올라갔다.

2학년이 된 우리는 많은 부분이 달라졌다. 무작정 배우기만 했던 1학년 때와는 다르게 2학년부터는 실제 대회에 참가해 성적을 내야 했다. 또 1학년 축구부 후배들도 잘 이끌어 줘야 하는, 책임이 막중한 자리였다.

우리는 1학년후배들을 열심히 가르쳐 주면서도 누구보다 열정적으로 대회에 나갈 준비를 했다. 실수를 줄이기 위해 몇백 번의 슛을 시도하고, 똑같은 패스를 몇천 번을 차며, 매일매일을 허벅지가 터져라 연습했다. 그리고 우린 결국에 기다리고 기다리던 대회에 출전하게 되었다.

대회의 결과부터 말하자면 우리의 결과는 너무나도 아쉬웠다. 우리가 마지막으로 뛰었던 4강 경기에서 정규시간 내에 승부를 가르지 못해 승부차기까지 간 후에야 결과를 가를 수 있었고, 우리는 승부차기에서 이기지 못했기 때문이다. 난 사실 차고 싶지 않았다 ,승부차기를. 그렇지만 '팀 주장인 내가 차지 않으면 그걸 주장이라고 할 수 있을까?' 라는 생각과, '주장이 1번으로 차자.'는 친구들의 의견을 무시할 수 없었다. 그렇다. 나는 승부차기를 넣지 못했다. 상대 골키퍼가 먼저 움직일 거라고 생각하고, 골대에 정 중앙으로 슛을 날렸지만 가만히 있었던 상대 골키퍼에게 보기 좋게 막히고 말았다. 아쉬워하는 친구들의 소리를 들으니 더 미안해서 미칠 거 같았다.

'중앙으로 차지 말 걸.' 하는

생각이 내 머릿속을 뒤집어 놓으면서 그렇게 우리는 승부차기 스코어 4 : 2의 결과로 뼈아픈 패배라는 감정을 느꼈어야 했다.

대회가 끝난 후 우리는 대회 출전 전과는 정반대의 분위기였다. 난 그렇게나 좋아했던 축구가 하기 싫었고, 친구들 분위기도 좋지 못했다. 가장 많이 했던 생각은

‘내가 모두가 한마음 한뜻으로 노력해 온 1년 반 넘는 시간을 내가 망쳤다.’ 였다.

축구부 친구들을 볼 때마다 눈물이 나올 것 같았고, 속상한 마음을 감추며 아무렇지 않게 점심시간에 훈련을 받고 있는 친구들을 볼 땐 더 마음 아프기도 하였다. 주변에서 해주는 어떤 말들도 그렇게 도움이 되어주지는 못하였다. 그냥 혼자 있고 싶은 순간이었다.

그렇게 며칠을 우울하게 지냈다. 학교에선 잠만 자고 집에서는 누워만 있으면서 그렇게 며칠을 보냈다. 이런 생활을 옆에서 지켜만 보던 송사리가 무심하다는 듯 한마디를 해줬다.

"아무것도 못하고 그럴 거면 축구나 해라 병신"

싫다고 몇 번을 거절했지만 송사리에 의해 강제로 끌려나가 오랜만에 축구를 한 그날, 난 알았다. 난 축구를 할 때 가장 좋다는 것을, 내가 준 패스로 공격수 친구들이 골을 넣을 때 가장 행복하다는것을.

이날을 이후로 난 다시 조금씩 조금씩 일상으로 돌아

갈 수 있었다. 많은 사람들에게 위로와 따뜻한 마음을 받으며 '나 또한 나의 친구들처럼 누군가 힘들 때 도와줄 수 있는 사람이 되고싶다!' 라고 생각한 일이었기도 하였다.

'노력은 배신하지 않는다' 는 말이 틀린 것이었음 알 수 있는 경험이었다. 저 말을 믿으며 뭐든 열심히 했던 나에게는 최선을 다한 노력에게 배신당한다는 상황이 견디기 힘들 정도로 힘든 일이었다. 하지만 주변의 격려를 통해, '이런 힘든 일도 이겨낼 수 있다.' 라는 교훈을 얻은 소중한 일이었다.

지금의 나는 다시 돌아갈 수 있다 할지라도 그때와 똑같이 중앙으로 찰 것이다. 막힐 거라는 걸 누구보다도 더 잘 알고 있다 할지라도, 그 결과로 누구보다 힘들어할 것을 알고 있다 하더라도.

4. 내 영원한 회장 재빵이

이번엔 아까와는 정 반대의 친구이다. 12년의 학교생활 중 무려 절반을 같은 반에서 지낸 친구가 있다. 서로를 누구보다 가까운 곳에서 지켜보며 함께 자라온 우리는 오늘도 함께 등하교하며 어렵고 힘든 고등학교 생활을 이겨나가는 중이다.

그저 학교를 축구를 하기 위해 다녔던 중학교 3학년 어느 순간 재빵이가 다가와 나에게 말했다.

"나 전교회장 나가 보려고 하는데 넌 어때?"

갑작스러운 물음에 난 처음에는 조금 당황했지만 재빵이에게 다시 되물었다.

"그런 힘든 일을 왜 자처해서 하는 거야?"

나에게 전교회장이란, 많은 일에 책임을 져야 하고 학업에도 상당히 지장이 갈 만한 일들이 많은 직책이었다. 따라서 회장 역할을 왜 나서서 하려는 건지 내 입장으로서는 의아하게 느껴졌다. 그럼에도 재빵이는 항상

"이런 경험 한번쯤은 있으면 좋지 않을까?"

라고 말하며 전교 회장에 도전하겠다고 하였다. 그리고 자연스럽게 난 재빵이를 옆에서 도와주는 역할을 하게 되었다.

전교회장 후보로 등록하기 위해선 우선 50명 정도 되는 학생들의 추천이 있어야 했다. 처음에는 50명은 쉽게 채울 수 있지 않을까 했지만 내 생각이 짧

앉음을 인지하기까지는 그리 오랜 시간이 걸리지 않았다. 전교생이 600명이라고 해보자. 그럼 한 학년에는 200명 정도, 다른 후보자와 친한 학생들은 당연히 그 후보자를 추천한다고 써줄게 뻔하니, 이런 학생들까지 제외한다고 하면 50명? 절대로 쉽지 않은 숫자였다. 재빵이의 친구들은 물론 나의 친구들, 축구부 후배들까지도 부탁한 후에야 목표였던 50명을 달성할 수 있었다.

이후 본격적인 선거 운동을 시작하였다. 재빵이의 얼굴이 크게 박힌 포스터를 보고 웃기도 하며,

"야 이거 공약 지킬 수는 있는 거냐 ㅋㅋ"

하며 놀리기도 하였다. 선거운동은 꽤나 치열했다. 전교회장 후보로 나왔다는 것부터가 나름 욕심이 있기에 가능한 일인 만큼, 모두들 한 표라도 더 가져가기 위해 더더욱 노력하였다. 평소 관심도 없던 1학년 교실에 들어가서 홍보를 하기도 하고, 다들 키가 커서 무서웠던 2학년 복도를 돌아다니며 재빵이를 뽑아달라고 부탁하기도 하였다.

그렇게 모두들 열심히 선거운동을 하던 때, 재빵이가 포스터에 붙은 공약 중 하나를 조금 수정하고 싶다고 말했다. 당시 축구밖에 모르던 바보였던 난 그냥 가서 바꾸면 되는 거 아닌가? 라고 말했다.

그렇게 나와 재빵이는 주말에 버스를 타고 포스터를 수정하기 위해 학교로 출발하였다. 학교에 도착하자마자 우리는 포스터부터 수정하기 시작했다. 입구와 가까웠던 곳에있던 바로 그때, 다른 반 담임을 맡고 있으신 선생님 한 분이 우릴 보시고는 지금 뭐 하는 거냐고 물어보셨다. 당시에 난 포스터를 수정하는 행동이 전혀 잘못인지 몰랐기에, 또한 이번 전교회장 선거를 담당하는 선생님께 허락을 받았기에 누구보다 당당하게

"포스터 수정 사항이 있어서 고치고 있었어요."

라고 말하였다. 이미 제출한 포스터를 원칙적으로는 수정할 수 없지만 담당 선생님께 허락을 받았다는 이유 하나만으로 우린 그 누구보다 위풍당당하였다. 이미 제출한 포스터를 고치는 건 안되는 거라고 알려주시는 선생님 앞에서도

"저희는 허락받았어요"

를 외치며 잠시 목소리가 높아지기도 했었다. 결국 우리는 포스터를 고쳤지만 기분은 그리 좋지 않았다. 지금은 학교라는 곳에서 '작은 정치 과정'을 배우길 원했던 선생님의 뜻임을 알지만 그렇게 받아들이기엔 너무도 어리고 어렸던 나와 재빵이이지 않았나 싶다.

그 후 우리는 아무 일도 없다는 듯 다시 선거운동을 시작하였고, 시간이 좀 흘러 기다리던 선거날이 다가왔다. 재빵이는 연설을 해야 할 생각에 평소보다 더 긴장한 모습이었고 그 모습을 지켜보는 나 또한 같이 긴장하였다.

재빵이의 연설은 매우 훌륭했다. 많이 긴장한 듯 보였지만, 말을 절지도 크게 말실수를 하지도 않았다. 그렇게 나름대로의 기대를 안고 몇 시간을 기다린 후에 우리는 투표 결과를 알 수 있었다.

재빵이는 아쉽게도 당선되지 못했다.

다른 후보자와 표 차이가 그렇게 많이 나는 것도 아니기에 상실감보다는 '그저 아쉽다.'라는 표현이 딱 어울리는 듯한 기분이었다.

이후로부터 시간이 얼마나 지났을까. 정신 차려보니 나와 재빵이는 고등학교 2학년이었고, 중학교 때의 전교회장 일을 까마득하게 잊고 있던 나에게 재빵이는 다시 다가와 물어보았다. 아니 이번에는 조금 달랐다. 사실상 통보에 가까웠다.

"나 이번에 전교회장 선거 나가려고."

중학교 때 못해봤던 기억도 있고, 전교 회장으로서 많은 일을 해보고 싶다며 다시 한번 전교회장을 준비한다고 하는 것이었다. 재빵이가 참으로 대단하다고 느낀 순간이었다.

중학교 때는 어떤 점이 부족했는지, 어떤 강점을 더 살리면 좋을지를 고민하며 다시 한번 도전한 결과, 재빵이는 중학교 때 이루지 못한 전교 회장이라는 목표를 이루어 내고 말았다. 목표를 포기하지 않고 다시 도전한다는 점도 멋있지만, 자신의 단점을 보완하여 성장해 나갔다는 점이 부럽기도, 멋있기도 하였다.

그 후부터 난 전교 회장의 친구가 되었다. 재빵이의 옆에서 많은 이야기를 듣고 있지만, 아쉽게도 보통 들려오는 소식은 '자기 마음대로 되는 게 없다' 였다. 학생들을 위해 좋은 일을 많이 하고 싶어 했던 재빵이였지만, 생각보다도 더 차가운 현실이라는 벽을 조금 느껴버린 것 같아 보였다.

재빵이의 전교회장 임기가 거의 끝나가는 이 상황에 내가 조금의 평가를 해보자면, 사실 재빵이의 공약 수행은 아쉬운 것이 맞다. 재빵이가 실행하지 못한 공약 중 하나가 학생 모두에게 개인의 사물함 자물쇠를 나누어 준다는 것이었다. 요즘 학교는 여러 도난 사건이 난무 하고 있는데, 공약대로 모두에게 자물쇠가 지급되었다면 조금은 다르지 않았을까? 하는 생각이 들기 때문이다.

그럼에도 나만큼은 알고 있다. 재빵이는 학생회장으로서 본인이 할 수 있는 최선을 해주었다는 것을 가끔은 공약을 제대로 지키지 못했다고 재빵이를 뭐라 하는 친구들도 있지만, 그마저도 이해한다며 늘 학생들을 위해 노력해 준다는 것에 고맙게 생각하고 있다.

재빵이는 '기회도 준비된 사람에게 온다.'는 말이 딱 어울리는 사람인 것 같다. 실패에 포기하지 않고 다시 도전하는 모습, 남을 위해 자신을 희생할 줄 아는 모습, 내가 생각하기에 '준비된 사람'에 가장 어울리는 모습인 것 같기 때문이다. 더 오랜 시간 옆에서 같이 지내다 보면 나도 저런 모습을 본받을 수 있을거라고 생각한다. 그리고 언젠가는 나도 실패를 두려워하지 않고 남을 위해 희생할 줄 아는 멋진 사람으로 성장할 수 있기를 조금은 기대하는 중이다.

5. 고마워, 내 친구가 되어줘서

　어릴 때부터 지금까지 꾸준히 나의 선택을 도와
주곤 하던 친구가 있다. 목소리만 듣는다면 그저 평
범한 초등학생이지만, 다른 사람들을 대하는 모습은
그 누구보다 어른스러운 친구이다. 초등학교부터 지
금 고등학교 3학년까지 슬플 때는 따뜻한 위로를,
기쁠 때는 그 누구보다 진심어린 축하를 건네는, 나
에게 없어서는 안되는 친구이다.

나는 어릴 적 친구들과의 일들을 거의 기억하지 못하지만, 이 친구와의 일만큼은 그 어떤 기억보다도 생생하게 기억하고 있다.

때는 초등학교 3학년 유치원을 다닐 때부터 꾸준하게 태권도, 그중에서도 겨루기라는 종목에서 여러 대회의 우승을 휩쓸고 다녔던 나는 그날도 다른 날과 마찬가지로 체중 조절을 위해 다이어트용 두유만 먹어가며 체중을 낮추는 중이었다.

평소와 다를 것 없이 배고프지만 참는 하루였다. 모든 것이 평소랑 똑같았지만 등교를 해보고서야 알았다. 오늘이 바로 스승의 날이라는 것을! 평소에도 학교에 일찍 등교하는 난 크게 달라진 건 없었지만, 평소에 늦게 오곤 하던 친구들도 이번엔 한마음 한뜻으로 담임선생님의 축하파티를 위해 교실도, 칠판도 예쁘게 꾸미고 있었던 것이다.

문제는 축하파티를 해드리고 나서부터 시작되었다. 우리가 사드린 케이크를 우리 모두 다 같이 나눠먹자고 하시는 거 아닌가? 나도 너무너무 먹고 싶었다.

케이크와 같이 칼로리가 높은 음식을 먹는다면 겉으로는 티가 잘 안 날지도 모르지만 체중계 앞에서는 어림도 없기 때문에, 먹는다면 사범님께 혼날 각오를 정말 단단히 해야했다. 100번을 넘게, 먹을지 말지에 대해 고민하고 내린 나의 결론은

"나는 안먹을게." 였다.

케이크를 먹어서 행복한 것보다는 체중조절을 잘 못해서 사범님께 혼나는 것이 너무나도 무서웠던 시절이기 때문이었다. 친구들, 특히 우리 모둠 친구들은 환호성을 지르기 시작했다.

"야, 야! 그럼 네 거는 내가 먹는다!!??"

서로 내가 먹지 않아서 남는 케이크를 자기가 먹겠다고 난리를 치고 소리를 치고 있던 순간에, 나 혼자만 케이크를 못 먹는 건 마음이 아프다며 먹어주면 안 되냐고 물어보는, 너무나도 마음씨가 착한 친구가 한 명이 있었다.

"난 태권도 대회 나가야 해서 체중 맞춰야 해! 내

거는 너가 먹어줘!"

라고 내가 설명을 해주자 그 친구는 케이크에 있던 생크림을 자신의 포크로 덜어내면서

"생크림이라도 다 덜어줬는데 그래도 못먹니?"

라고 말해주며 자신이 열심히 생크림을 덜어낸 그 케이크를 다시 나에게 주었다. 사실 생크림이 케이크에서 많은 칼로리를 차지하는 건 사실이지만, 그 생크림을 덜어낸다고 해서 총 칼로리가 얼마나 줄어들지는 사실 지금도 잘 모르겠다.

하지만 모두가 내가 케이크를 안 먹는다고 좋아하고, 자기가 먹겠다고 티격태격하는 와중에 내가 꼭 먹었으면 하는 마음으로 생크림을 덜어준 그 친구의 따뜻한 행동 그것은 지금까지도 생생하게 기억하고 내가 그 친구에게 진심으로 고마워하는 부분이기도 하다.

그 이후부터 난 이 친구와 더 친해지고 싶었다. 친한 친구, 베스트 프렌드 말이다! 당시 누구보다

밝고 당찼던 나는 학교에서 먼저 말 걸어주기라던가, 인사하기 등등은 누구보다 자신 있었지만, 현실은 가혹했다. 난 태권도 대회 준비로 친구들을 만나기는커녕, 수업에 제대로 들어가는 날도 많지 않았다. 그렇다면 휴대폰 연락은 잘 할 수 있었을까? 너무나도 당연하게 하루 종일 운동만 해야 했던 나에게 카카오톡 같은 연락 따윈 할 시간이 거의 없었다. 그리고 가장 근본적으로

난 휴대폰이 없었다.

나 빼고는 모두 가지고 있었던 스마트폰이었지만 유난히 우리 부모님께서는 휴대폰은 나중에 사줘도 괜찮다고 말씀하시며 휴대폰을 사주시지 않았다. 친구들이 나에게 "넌 휴대폰 번호가 뭐야?" 라고 물어봐도 난 항상 "난 휴대폰 없어!"로 똑같은 대답뿐이었다.

이때부터였다. 그 친구와 친해지고 싶다는 이유도 있었지만, 나만 휴대폰이 없다는 것이 속상했다. 친구들끼리 통화를 한다는 너무나도 사소한 것이 나에겐 너무나도 부러웠다.

이런 속상함이 부모님께도 조금은 보였던 것일까? 어느 때와 마찬가지로 운동을 끝내고 집에서 쉬고 있던 시간에 아버지께서 공기계라고 말하는 아주 큰 휴대폰을 구해오셨다. 그렇다. 바로 갤럭시탭 이었다. 물론 공기계답게 전화도 문자도 할 수 없는 휴대폰이었지만, 그게 뭐가 중요한가? 그저, '카카오톡'을 나도 할 수 있다는 것이 그저 기쁘고 신났을 뿐이다.

공기계이기 때문에 전화번호가 없었던 나는 아버지 명의로 카카오톡 계정을 만들었고, 그렇게 나도 친구들과 함께 '카카오톡'이라는 것을 시작하였다.

조금이라도 빨리 아무에게나 카톡을 보내보고 싶었지만, 어머님께서는 '친구 추가'라는 걸 해야 한다고 하셨고, 그 친구 추가를 위해서는 친구들의 전화번호를 알아야 한다고 말씀하셨다. 친구들에게 바로 카톡을 보내지 못한다는 게 아쉬웠지만, 다음에 학교로 등교할 때 친구들의 번호를 받으면 "나도 카카오톡 할 수 있다!" 라는 생각으로 설레는 마음과 함께 등교 날을 기다렸다.

대망의 등교 날! 평소 친하게 지냈던 친구들 모두에게 돌아다니면서 전화번호를 받았고, 그 결과 많은 친구들은 물론, 너무나도 친해지고 싶었던 그 친구에게도 전화번호를 받고 카카오톡 친구로 추가할 수 있었다.

평소에 직접 만나지 않는다면, 친구들이랑 대화라는 걸 절대로 할 수 없었기에 '카톡'이라는 앱이 너무나도 신기했다. 그중에서도 신기하고 재미있는 기능들을 그 친구에게 카톡으로 하나하나 배워가면서 그 친구와 좀 더 친해질 수 있었다.

바라고 바라던 카카오톡이라는 앱을 얻은 난 여러 가지 사소한 이야기를 그 친구와 나눌 수 있었다. 다른 친구들 하고는 한 번도 말해본 적 없는, 오늘은 무슨 무슨 훈련을 받았고, 어떤 일이 있었고 등등등.. 항상 마구잡이로 연락을 보냈지만 그 친구는 내가 먼저 카톡을 보낼 때마다 어떤 이야기이든지 간에 답장 하나하나에 정성을 담아서 보내주었고, 난 이렇게 너무나도 착한 그 친구가 고마웠다.

이렇게 소소하게 카톡으로 한 번씩 연락을 주고받

으면서 지낸지도 2년 가까이가 되어가던 때, 우리는 친한 친구라고 자부할 수 있음만큼 많이 친해졌다. 또 부모님도 내가 어느 정도 컸다고 생각하셨는지 스마트폰도 사주셔서, 친구들과 자유롭게 전화도 할 수 있게 되었다.

남들에 비하면 한참이나 늦게 받을 수 있었던 스마트폰이었지만, 카카오톡 하나만으로도 충분히 좋았던 나이기에 기분이 나쁘지 않았다. 나는 그저 스마트폰을 받아서 신나는 영락없는 초등학생이었다.

평소와 마찬가지로 힘든 훈련을 끝내고 집에서 누워있을 때 전화가 한통 걸려왔다. 바로 그 친구였다. 일이 있으면 전화가 아닌 항상 카톡이나 메시지로 연락을 보내왔던 친구이기에 "뭐지?" 하며 전화를 받았고, 그 친구가 하는 말은 "같이 시내에 놀러 가자!"였다. 처음 저 말을 들었을 때 든 생각은 바로 '시내가 뭐야'였다. 난 내가 생각하는 것보다도 훨씬 더 운동만 하고 살아왔던 것이었다.

그 친구는 내가 이해를 잘 못하는 거 같아 보이자 조금 더 쉽게 말해줬다. "아, 그냥 같이 놀러 가자!"

훈련도 끝나고, 모처럼 여유가 가득했던 날이기에 난 흔쾌히 좋다고 말했고, 그렇게 인생 처음으로 시내에 나가 놀게 되었다.

시내라는 곳에 가서 가장 먼저 방 탈출 카페로 갔다. 어릴 때부터 '명탐정 코난' 광팬으로 유명한 나였기에, 친구는 나를 방 탈출 하면 잘할 수 있지? 하는 눈빛으로 뚫어져라 쳐다보았던 게 아직까지도 기억에 생생하게 남는다.

아쉽게도 방 탈출은 예약이 있어 당장은 할 수 없었다. 그렇기에 우리도 저녁 타임에 예약을 잡아두고 다른 곳으로 먼저 놀러 가기로 하였다. 시내는 할 수 있는 재미난 것들이 너무 많았다.

아기자기한 인형 뽑기, 디스코 팡팡, 각종 미니게임을 할 수 있는 곳 등등 재밌어 보이는 곳들을 하나씩 하나씩 돌아다니다가 대망의 하이라이트 방 탈출을 할 시간이 다가왔다.

난 당시에는 잘 몰랐지만, 그때 예약했던 게 그 방 탈출 카페 시리즈 중에서 가장 어려운 난도이자 가장 무서운 시리즈였다고 한다. 난도는 당연히 성인 기준일 텐데, 초등학생끼리 뭘 할 수 있었겠는가? 힌트를 무자비하게 받아 가며 진행하면서도 무섭게 만들어진 부분에서는 죄다 소리를 지르는 쫄보 그 자체를 보여주었다. 훈련받을 땐 10시간 같았던 1시간이 10분처럼 느껴질 정도로 빨리 지나갔고, 결과는 '탈출 실패!'였다.

사실 내가 풀어낸 암호 따윈 하나도 없었지만, 탈출 실패에 아쉬워하던 찰나였다. 친구가 이 방 탈출 카페에서 받을 수 있는 스탬프를 다 받아서, 사은품을 받는다고 했다. 중요한 점은 일행들도 같이 받는다는 점이었다! 사은품은 고등학생이 된 지금까지도 너무 잘 사용하고 있는 큰 컵과 다양한 굿즈였고, 덕분에 '탈출 실패'라는 속상함은 던져버리고 순수 100% 그 친구 덕분에 받은 사은품을 들고 싱글벙글 웃으며 방 탈출 카페를 나올 수 있었다.

이렇게 나의 첫 시내 탐방이 마무리되었다. '시내' 라는 곳이 무슨 곳인지도 모르고 온 사람이었지만 하나 확실했던 건 그 어느 때보다 내가 훨씬 더 신나게 놀았다는 것이다! 운동밖에 모르던 나에게 이

토록 소중한 경험을 만들어준 것을 그때도, 지금도 진심으로 감사하고 고맙게 생각하고 있는데, 이런 마음을 그 친구는 알고 있을지 조금은 궁금하다. 사실 몰라도 괜찮다. 언젠가는 꼭 고마웠다고 말해줄 것이기 때문이다.

이렇게 즐거운 일들로만 가득했다면 얼마나 좋았을까? 어느 때와 다름없이 재미난 일을 알려주기 위해 먼저 카톡을 보냈지만, 그 친구는 나의 카톡을 보지 않았다. 다음날도, 그다음 날도, 나의 메시지 옆 1 표시는 사라질 기미가 보이질 않았다. 학교에서 만난다면 "너 왜 내 카톡 안 읽어!!" 하고 잔뜩 뭐라고 말할 준비를 하고 있었지만, 상황이 내가 생각하는 것보다 훨씬 더 심각한 일이라는 걸 알기까지는 그리 오래 걸리지 않았다.

다른 친구들을 통해 소식을 조금 들을 수 있었다. 바로 그 친구가 중환자실에 있다는 소식이었다. 환자라는 단어는 정확하게 알고 있었다. 다만 중환자라는 단어는 처음 들어보는 단어였다. 쿵쾅대는 마음을 잡고, 선생님께 여쭤보았다. 중환자가 뭐냐고. 그러자 선생님께서는

"환자들 중에서도 더 많이 아픈 환자야."
라고 말해주셨다. 그리고 옆에서 다른 한 친구는

"생명이 위급한 환자를 중환자라고 한대"

라고 말했다.

정말 심장이 쿵하고 내려앉는 느낌이었다. 나와 가까운 사람의 생명이 위험하다는 소식을 듣기엔 나는 너무나도 어렸던 아이였기 때문이다.

"정말 다시는 못 보는 걸까? 그렇다고 하기엔 너무 받기만 했는데..."

나에게 수많은 소중한 추억과 경험을 선물해 준 그 친구와는 다르게 난 해준 것이 아무것도 없었기에, 미안함은 말로 표현하기 힘들정도로 커져만 갔다. 더 이상은 아무리 카톡을, 전화를 해봐도 그 친구와 닿을 수 없었다.

더 이상은 내가 주제도, 맥락도 없이 혼자서 신나게 떠드는 걸 들어줄 친구는 없었다. 처음에는 허전하고 공허한 마음이 가득했지만, 시간이 지남에 따라 서서히 그 친구의 부재는 익숙해지기 시작했다.

다시 나의 삶은 운동 그 자체로 돌아갔다. 좋은 일이 생겨도, 속상한 일이 생겨도, 굳이 다른 친구들에게 말하거나 하진 않았다. 그 순간에는 친구들이랑 가까워지는 게 무서워졌기 때문이다. 그냥 전처럼 운동만 하며 살아가는 게 편할 것 같다고 생각한 나는 그저 운동에만 더 집중할 뿐이었다.

그 친구가 중환자실에 있다는 소식을 들은 지 1년이 가까워질 시점, 그 친구가 아픈 시간이 너무 길어져서일까, 그 친구가 다시 일어날 거라는 기대보단, 짧은 시간이라도 평소처럼 떠들 수 있는 시간이 주어지면 좋겠다는 생각을 많이 했다.

"다시 일어나서 내 앞에 나타나 주는 건 기적이 아니면 힘들지 않을까."라고 생각하며 어느 정도 포기하고, 그냥 딱 한 번일지라도 더 말할 수 있는 기회가 생긴다면, 여러 태권도 대회에서 상을 탄 일을 신나게 자랑하고, 그동안 고마웠다고 너무나도 말해주고 싶었다.

그리고 서서히 일어나기를 포기해가던 그 기적은, 그 어떤 예고도 없이, 마법처럼 나에게 일어났다. 카톡이 왔다. 믿을 수 없어서 휴대폰을 몇 번을 보고 또다시 봤다. 바로 그 친구가 보낸 카톡이었다.

"나 일어났어!"

순간 난 당황하여 아무것도 하지 못하다가, 이내 다시 정신을 차리고 연락에 답하였다.

"일어난 거야? 몸은 괜찮은 거야??"

물어보고 싶은 말들은 말로 표현 못 할 정도로 너무나도 많았지만, 당장 걱정되는 친구의 상황부터가 우선이라고 생각하였다.

"깨어나서 말은 할 수 있는데 움직이지를 못해서, 내가 말하면 타자는 부모님께서 쳐주고 있으셔"

깨어났다고 해서 모든 것이 다시 돌아오지는 않았지만, 저 순간만큼은 잃어버린 줄 알았던 나의 소중한 친구가 다시 나타나준 기분이었다. 당시, 어떤 병이었는지, 왜 아픈 건지, 정말 하나도 모르고 있었지만, 그저 잘 견뎌준 그 친구에게 너무나도 고마웠다.

'비가 내린 후, 무지개가 뜬다.' 라는 말이 있다. 그 친구가 아파했던 시간 동안 얼마나 많은 비가 쏟아졌는지 나는 가늠도 할 수 없었다. 하나 확실한 건, 그 어떤 무지개 보다 크고 이쁜 무지개가 뜨고 있다는 것이었다. 하늘에게 감사할 정도로 그 친구의 몸이 좋아지고 있다는 소식만 들려오고 있었고. 여러 친구들의 도움 덕분에 활력도, 웃음도 금방금방 되찾아 가고 있다는 소식도 들려오고 있었다.

정말 조심스럽게, 여러 번에 고민 끝에 난 내가 정말로 궁금했던 걸 물어봤다.

"등교는 언제부터 다시 할 수 있을 거 같아?"

그 친구도 누구보다 등교를 하고 싶어 할 거라는 걸 알고 있기에 혹여나 마음을 더 속상하게 할까 봐 고민에 고민을 거친 후 물어본 질문이었다.

그 친구의 대답은

"졸업식에는 꼭 갈게." 였다.

졸업 전에 많은 추억을 함께 만들고 싶었던 나에게 아쉬운 대답이 아니었다고 하면 거짓말이지만, 졸업식날 만이라도 와 줄 거라고 약속해 주는 모습이 울컥하기도, 고맙기도 하였다. 그리고 난 이제는 급하지 않게, 천천히 기다리기 시작했다.

"그래. 졸업식날에 꼭 보자!"

교복이라는 것이 없었던 초등학교 시절, 6년간 각자의 개성이 넘치던 사복을 입고 다녔던 우리는 처음으로 모두가 똑같은 옷, 졸업가운을 입었다. 그리고 정말 마지막으로, 우리 모두가 강당에 모여 졸업식을 시작하였다.

교장 선생님께서는 6학년 1반부터 한 명 한 명 졸업장을 수여해 주시기 시작하였다. 졸업장을 수여받고 내려가기 전에는 인사를 하거나, 자신이 원하는 포즈를 취하고 내려올 수 있었고, 정말 마지막 추억이라고 생각한 나는 색다른 나만의 포즈를 준비해 보았다.

내 차례에서 난, 그 누구보다 당당하게 나가서 누구보다 멋있게 졸업장을 수여받았다. 나만의 포즈로는, 내가 축구를 할 때 골을 넣으면 항상 했던 세레머니를 멋지게 해주며 내려왔다. 아주 만족스러웠고, 밑에선 선생님께서 역시 마지막까지도 너답다! 라는 표정으로 날 안아주셨다.

그리고서는 우리의 다음반 순서가 되었다. 다시 우리 다음반 친구들 한 명 한 명의 졸업장 수여가 시작되었고, 내가 기다리던 바로 그 친구의 이름이 불렸다. 친구는 아직 혼자서 걷기는 힘든 상황인 듯 휠체어에 앉아 줄업장을 받으러 갔다.

엄숙한 분위기가 지속되던 졸업식이었지만, 그 친구가 졸업장을 수여받는 순간, 우리 모든 전교생은 진심을 담은 박수를 쳐주었다. 각자의 박수의 각자의 의미가 담겨 있었겠지만, 나의 박수에는

"고생했고 이제는 아프지 말자."
라는 마음을 담았다.

그 친구는 끝내 울음을 터트리고 말았다. 내 옆자

리를 언제나 밝은 얼굴로 든든하게 채워준 친구였기에 우는 모습이 내 마음도 울려버릴 것 같은 순간이었다. 그 친구는 약속대로 졸업식에 와주었고, 덕분에 나는 그 누구보다 보고 싶었던 그 친구를 다시 만날 수 있게 되었다.

너무 오랜만에 만나서일까? 다시 만난다면 꼭 해주고 싶던 말들은 하나도 해주지 못하고, 이상한 말들로만 우왕좌왕 했던 기억이 난다. 물론 전하지 못했던 고마움은 중학교를 넘어 고등학교 3학년인 지금까지도 열심히 전해주고 있는 중이다.

초등학교 시절 태권도,
중학교 시절 축구,
그리고 지금의 고등학교 생활까지
내가 힘들 때 의지할 곳이 되어주고,
기쁠 때 함께 축하해 준,

어쩌면 가족보다도 내가 성장해온 과정을 더 잘 알고 있는 친구이다.

어느 날 그 친구가 나에게 말했다.

"너를 정말 진심으로 존경해. 많은 점을 배우고, 반성할 수 있게 해줘서 고마워."

내가 들었던 칭찬 중에서 단연코 최고의 칭찬이었지만, 그 친구는 알고 있을까? 내가 다가갈 수 있게 해주었던 초등학교 3학년, 이 친구가 나에게 해줬던 진심 어린 따뜻한 행동을 고등학교 3학년이 된 지금도 변함없이 나에게 해주며, 주변 사람들을 행복하게 만들어줄 수 있는 그런 멋진 능력을 가진 너를 내가 훨씬 더 존경하고 있다는 사실을.

6. 꼬마 수학자들

고등학교 시절 기피하고 싶은 과목 1위 '수학'. 문과·이과 나눌 것 없이 대부분 친구들이 싫어하는 이 '수학'이라는 과목으로 많이 친해진 친구가 있다. 첫 만남 때부터 공부로 이어지고, 지금도 만난다면 공부 이야기를 가장 많이 하는, 그 어떤 친구들보다도 건전하다는 이야기를 많이 듣는 우리 둘이다. 이 친구에 관하여 처음으로 들었던 이야기는 다니는 학원에 관한 이야기였다. 우리 학교 근처의, 아침 일찍

부터 저녁 늦게까지 가둬두고 공부만 시키는 정말 힘든 학원으로 유명한 그 학원을 이 친구가 다닌다고 한다는 이야기였다. 그렇기에 저절로 난 그 친구를 공부를 정말 잘하는 친구일거라고 생각하였다. 서로에 관한 소식만 조금씩 듣던 우리는 고등학교 1학년이 시작하기 전 '반 배치 고사'에서 처음 만나게 되었다.

반 배치 고사에서 만난 그 친구는 나에게 이름이 뭐냐고 물어보았다. 평소라면 바로 내 이름을 알려주겠지만, 무슨 장난기가 들어서일까, 나는 일부러 다른 친구의 이름을 알려주었다. 그리고 놀랍게도 이 친구는 나의 이 거짓말을 누구보다 순수하게 믿어버렸다. 그리곤 반 배치 고사가 끝나서 헤어지기 직전까지도 내가 장난을 쳤을 거라는 의심은 하나도 품지 않고서는

"응현이라는 친구도 만나보고 싶었는데 아쉽네,"
라는 말을 내 앞에서 해버렸다.

내 이름을 알고 있던 친구들은 모두 빵 터지며 웃었고 그제야 난, 내 이름이 김응현이라고 똑바로 알

려주게 되었다. 그 순간 그 친구의 눈은 누구보다 당황한 느낌이 가득했다. 하지만 첫 만남에서 갑자기 하고 싶어졌던 이 장난 하나로 어색한 분위기도 풀고, 내 이름도 확실하게 더 각인시킬 수 있었던 장난이었다.

저 장난이 도움이 얼마나 되었을지는 모르겠지만, 우리는 다른 친구들에 비해서도 더 빠르게 친해질 수 있었다. 고등학교에 와서는 친한 친구가 많이 없었기에 이 친구도 같은 반이 됐으면 좋겠다! 라는 생각을 할 때쯤 반 배정 결과가 나왔다. 난 '이보다 깔끔한 반 배정이 있을 수 있을까' 싶을만한 반 배정인, 나와 재빵이 그리고 이 친구까지 모두 같은반이라는 소식을 담은 반 배정 결과를 볼 수 있었다. 이렇게 많은 추억을 남긴 나의 고등학교 1학년 생활이 시작되었다.

이 친구는 힘든 학원에 다니는 만큼 공부도 훌륭할 정도로 잘하는 친구였다. 하지만 딱 한 과목, 내가 다른 친구들에 비해 많이 좋아했던 '영어'라는 과목은 이 친구에 비해서 조금 더 좋은 실력을 가지고 있었다.

많은 과목 중에서 영어를 가장 힘들어했던 친구이기에 내가 도울 수 있는 부분이 있지 않을까 라는 생각을 하였다. 그래서 영어의 많은 부분에서도 내가 가장 자신 있었던 '문법' 파트를 도와주기 시작하였다.

처음으로 내가 문법을 알려 준 것은 학교 내신 시험 범위에 있는 영어 지문의 문법이었다. 문법 문제들을 풀기 위해서 가장 기초가 되는 부분부터 시작하여, 어려워 보일 수 있는 문법 부분까지. 다른 과목을 잘하는 똑똑한 머리가 있기에 나의 문법 설명도 정말 잘 이해하는 듯해 보였고, 이 친구는 생각보다 문법이 할 만하다며 나에게 고마워하기도 하였다.

"여기서 이렇게 시험문제가 나올 거 같아!"

이렇게 서로서로 알고 있는 정보를 열심히 공유해 가며 같이 중간고사 영어 공부를 했던 우리는 학급 영어 과목 점수 각각 1등과 3등을 하며 만족할 만한 점수를 받을 수 있었다.

학교 내신 시험이 끝난 이후에는 학교 내신에만 국한되는 문법이 아닌, 어떤 문법이 나와도 이 친구가 잘 풀었으면 하는 마음으로, 내가 했던 영어 문법 공부법을 알려주며 영어 문법 공부에 대한 방향을 조금 잡아주었다. 이 친구는 그 공부법을 정말 고마울 정도로 잘 따라주었다. 덕분에 우리는 지금 고등학교 수준의 영어 문법 문제는 하나도 틀리지 않는다고 자랑할 수 있을 정도로 다른 친구들에 비해서 문법을 정말 잘하는 학생이 되었다. 나는 알려주는 입장이었지만 그 친구를 통해 배운 것도 정말 많았고, 가르치는 보람도 알 수 있었다.

사실 우리가 같이 공부해온 과목은 영어 뿐만이 아니다. 문법을 어느 정도까지 공부한 다음 크게 이야기를 나누지 않았던 영어와는 다르게, 아직도 만나면 계속해서 이야기하는 바로 '수학'이라는 과목이다.

처음부터 둘 다 수학을 좋아한 건 아니었다. 우리가 수학에 흥미를 가지기 시작하고, 좋아하기 시작한 것은 같은 수학 학원을 다니기 시작할 때부터였다. 내가 수학 문제를 푸는 걸 본 친구는 나랑 같은 학원을 다니고 싶다고 하더니, 곧바로 상담을 받아 나와 같은 학원을 다니게 되었다. 그리고 그때부터 우리의 수학 라이프가 시작되었다!

수학이라는 정말 거대한 학문의 아주 조금, 정말 작은 부분을, 그마저도 가능한 한 최대한 쉽게 배우는 시기였기 때문에, 고등학생이 배우는 극한의 정의와, 대학생이 배우는 극한의 정의가 다른 점 등 이상하다 싶은 부분이 있을 수밖에 없었다. 우리 둘은 이 부분을 그냥 넘어가지 않았고, 우리끼리 이러한 부분을 공부하기 시작하였다.

"이건 왜 이런 거지? 이런 거에 따르면 이런건 틀린거 아닌가?"

평소라면 그냥 넘어가거나 무시했을 그런 부분도 하나하나 꼼꼼하게 공부해 보고 시작하였다. 이러는 과정에서 우리는 수학에 흥미를 가지게 되었다. 우리가 이상하다고 느끼는 부분들은 모두 조금만 알아봐도 훌륭한 전문가들이 설명해 준 자료를 찾을 수 있었다. 결국에는 수학적 오류 없이, 그 누구도 반박할 수 없이, 명확하게 증명이 가능한 모습을 보면서 수학이라는 학문의 위대함을 몸소 느끼기도 하였다. 이렇게 우리는 점점 더 수학이라는 학문에 흥미를 느끼게 되었고, 어느 순간부터는 만나면 하루 종일 수학 이야기만 하는 정도에 이르게 되었다. 이것이 얼마나 심한정도 였냐면, 수학 학원이 끝나고 갔던 핫도그 집에서 우리는 어느때와 같이 수학 모의고사 에 대하여 이야기를 나누고 있었다. 이에 사장님이 한 말씀을 하셨다.

"대화 주제가 건전해도 너무 건전한거 아니니?"

믿을 수 없다는 표정을 하고 있으신 핫도그집 사 장님께 어떤 대답을 드려야 할지 둘 다 고민 하고 있던 찰나, 사장님께서는 다시 한번 조금은 다른 질 문으로 우리에게 물어보셨다.

"수학을 많이 좋아하니?"

대답하기 조금은 어려웠던 첫 번째 질문과는 다 르게 이번 두 번째 질문은 우리에게는 너무 쉬운 질 문이었다. 그저 너무나도 당연하게 물론이죠! 로 대 답해 드렸고 그러자 핫도그집 사장님은 대단하다는 표정을 지으시며 웃어주셨다.

이 친구와 함께 다니면 나도 정말 모범생이 된 것 같은 기분이 든다. 영어로 서로에 대해 알기 시작해서 수학으로 친한 친구가 된 우리는 그 어떤 친구들보다도 더 공부로 이어져 있다고 생각한다. 나와 내 친구가 수학 문제를 가지고 이야기 하고, 분석해보고, 여러 주장을 하는 걸 다른 친구들이 보면 보통 반응은 '정신 나갔다', '미친놈들이다', '변태같아!' 등등으로 매우 다양하지만 나와 내 친구는 절대 흔들리지 않는다. 줏대 있게 우리만의 길을 가고 있다.

고등학교 3학년이 된 지금 문과인 나는 수학 등급보다는, 다른 과목의 중요성이 더 커졌다. 그래서 2학년때 만큼은 수학 공부를 하고 있지는 못하고 있다. 그렇기에 3학년이 된 우리는 수학적으로 깊은 이야기 보다는, 조금은 속상한 마음에, 여러 상상의 나라를 펼치곤 했다. 가장 대표적인 상상이 바로 문과로 간 김응현이 아닌 이과로 온 김응현이다. 사실 고등학교 1학년 때 통합과학을 잘했던 것은 절대 아니기에 무작정 문과로 온 것을 후회하지는 않지만, 그래도 가끔 문과 과목을 열심히 하고 있을 때면 궁금해지는 건 사실이다.

 "내가 이과로 갔으면 조금 더 잘했을까?"

 정답은 아무도 모르지만 하나 확실한 건 이번 대
학 입시가 끝나갈때 쯤에는 문과를 온 것을 그 누구보
다 벅차게 좋아하기를 바라고 있다는 점이다.

7. 나의 동아리, 방송부

 나의 고등학교 시절을 설명한다면 1학년과 2학년을 불태웠던 동아리 '방송부' 없이 설명할 수 있을까? 그만큼 방송부라는 동아리는 나의 고등학교 생활에 정말 큰 영향을 끼친 동아리이다. 고등학교를 입학할 시절 나는 '동아리'에 관한 이야기에 늘 관심이 많았다. 동아리 홍보가 시작되지도 않았지만, 전부터 알고 있던 선배님들을 통해 어떤 동아리가 있고, 무슨 활동을 하는지 알고 있었을 정도로, 나의 로망이기도 했던 동아리에는 정말 많은 관심을 가지고 있었다. 그리고 그중에서도 나의 시선을 사로잡았던 동아리는 바로 '방송부'였다. 가장 최근에 '라이브 온'이라는 드라마를 본 영향이 얼마나 있었는지는 모르겠다. 그때의 나는 당장이라도 GBS라는 방송반에 들어가고 싶은 마음뿐이었다.

동아리 홍보 날이 다가왔고, 여러 동아리의 2학년 선배님들께서 자신의 동아리를 홍보하러 돌아다니기 시작했다. 난 너무나도 당연하게 방송반을 쭉 기다렸고, 드디어 만나게 된 2학년 선배님들의 방송반 소개는 드라마에서 보았던 방송반이랑은 조금 다른, 더 현실적인 방송반이었다. 하지만 드라마와 현실이 다르다는 것은 이미 너무나도 잘 알고 있는 사실이기에 방송반에 들어가려는 나의 열정을 멈출 문제는 아니었다.

문제점이라고 한다면, 다른 점들을 다 뒤로 놓고 보아도, 역시 방송반이라는 동아리는 인기가 너무 많다는 것이었다. 친구들의 이야기를 조금만 들어보아도 너도나도 1순위 동아리는 방송반이었다. 역시 내가 좋아하는 동아리는 남들에게도 좋은 동아리였던 것이다. 그렇기에, 그 누구보다 방송반에 들어가고 싶었던 나는, 제출해야 하는 서류부터 그 누구보다 꼼꼼하게, 글씨를 정말로 못쓰는 사람이지만 그 순간에는 손에 땀이 날 정도로 펜을 꽉 쥐어 가며 한 글자 한 글자를 최선을 다해 예쁘게 글씨를 써서 1차 서류를 제출하였다.

최선을 다해 쓴 보답이라고 해야 할까? 나는 1단계 심사였던 서류 면접을 가볍게 통과 할 수 있었다. 너무나 다행이라고 생각하였지만, 문제는 지금부터가 시작이었다. 바로 2단계 심사인 '대면 면접'이 남아있기 때문이다. 고등학교까지 자라오면서 '면접'이라는 것을 단 한 번도 해본 적이 없었기에, 잘 할 자신? 그런 자신감 따위 하나도 없었다. 어떤 식으로 준비를 해야 하는지도 막막한 것이 나에게는 바로 대면 면접이었다.

여러 선배님들에게 면접은 어떤 식으로 해야 하는지 물어본다면 대답은 모두 동일했다. 거짓말처럼 모두 '패기와 자신감이 중요해' 라는 대답만을 들을 수 있었다.

"정말 패기와 자신감이 가장 중요한 것일까?" 물론 저 두가지 기준만으로 평가가 이루어질 일은 절대 없겠지만, 그래도 그것들이, 가장 많은 비중을 차지한다면 나도 해볼만 하지 않을까? 하는 생각이 떠오르기 시작하였다. 나름대로 '어떤 질문이 나올까?' 등등을 생각하며 면접 준비로 하루하루를 보내다 보니, 대면 면접날은 내 생각보다도 더 속절없이 다가왔다.

수업이 끝나고 이루어지는 면접은 1교시 수업부터 나를 집중하기 힘들게 만들었고, 빠르게 끝내고 싶은 마음에, 빨리 7교시가 끝났으면 하면 마음이 들었다. 그러다가도 너무나도 떨려서 그냥 7교시가 끝나지 않았으면 하는 마음이 같은 시간에도 몇 번을 왔다 갔다 거렸다. 하지만 누구에게나 공평한 시간은 7교시를 끝내는 종을 울려주었고, 방송반 면접을 봐야 하는 친구들과 함께 두근거리는 심장을 붙잡고 면접 장소로 내려갔다.

당시 1학년 8반이었던 나는 면접 순서가 거의 맨 뒤 순서였다. 그렇기에 앞에서 친구들이 어떤 질문이 나오고 선배님들께서 어떤 이야기를 하시는지 조

금은 들어볼 수 있었는데, 몇 가지는 나의 생각을 전혀 벗어난 질문들도 있었다. 바로

"장기자랑 있나요?" 등의 질문이 있었다는 것이다.

안 하면 감점이 있을지, 아니면 감점은 없지만 하면 더 유리한 점이 있을지 몇 번을 고민했다. 또 무슨 장기자랑을 해야 하는지 고민하던 나는 조금은 더 자신있었던 노래를 부르기로 마음먹고 내 순서를 기다리기 시작하였다.

그리고 시간이 얼마나 더 흘렀을까? 거의 마지막에 가까웠던 나의 면접이 시작되었다. 선배님들이 질문하시는 대부분의 질문은 내가 예상했던 것에서 크게 벗어나지 않았다.

그렇기에 내가 생각했던 답변들로 잘 답변을 하고 있었는데, 딱 한 질문, 내가 똑바로 대답하지 못했던 질문 하나가 날라왔다.

"방송부는 가오고등학교의 〇〇이다! 를 표현해 주세요."

물론 이 질문조차도 한 번 정도는 생각을 해 본 적이 있었다. '설마 이런 질문이 나올까?' 하였기에 '그냥 대충 아무거나 둘러대면 상관없지 않을까?' 하고 넘겼던 과거의 나에게 깊은 한숨을 주며 빠르게 머리를 굴리기 시작하였다. 그리고 잘 돌아가지도 않는 머리를 열심히 굴리고 굴려서 나온 나의 생각은, '내가 생각하기에 가장 이쁜 '꽃'으로 대답하자 '였다. 이대로 바로 방송부는 가오고등학교의 꽃이다! 라고만 하고 이유를 설명하면 아무 문제가 없었지만 너무 긴장했던 난

"가오고등학교는 방송부의 꽃이라고 생각합니다!"

라는 정신이 반쯤 나가 보이는 대답을 하였다. 물론 선배님들께서는 그냥 귀엽게 넘어가 주시는 듯하였지만, 난 혹시라도 그 대답 때문에 조금이라도 점수가 내려갈까를 생각하며 쿵쾅거리는 심장을 붙잡고 바로 다음 질문을 들었다.

"혹시 지금 바로 하실 수 있는 장기자랑이 있을까요?"

다행히 친구들이 말해주고 간 질문이었고 노래를

부르기로 마음을 먹었었기에 난 내가 당시 좋아했던 노래를 후회 없이 열심히 불렀다. 그렇게 축구 대회나 태권도 대회보다도 훨씬 더 떨렸던 나의 첫 면접을 마무리 할 수 있었다.

결과는 전혀 예측할 수 없었다. 누가 어떤 식으로 면접을 보았는지도 하나도 모르겠고, 지원자 수가 50명인데 뽑는 사람은 5명뿐이었기에 과연 내가 10:1의 경쟁률을 뚫고 뽑힐 수 있을지도 확신할 수 없는 부분이었다. 그렇게 면접이 끝나고 두 시간 정도 시간이 흐를 때쯤 나는 문자 메세지 한 통을 받을 수 있었다.

"합격자 명단을 1학년 교무실 앞 게시판에 게시하였습니다. 등교 날 확인 부탁드립니다. 면접 보느라 모두 고생하셨습니다."

학교를 이렇게나 빨리 가고 싶었던 적이 없었다. 나는 누구보다 빠르게 결과를 확인하고 싶었고, 합격자 명단을 확인하는 순간에서야 모든 긴장이 풀리기 시작하였다. 내 이름과 학번은 당당하게 합격자 명단 위에 기록되어 있었다. 면접을 보며 보았던 많은 컴퓨터 화면들, 카메라, 다양한 방송장비들을 하나하나 배워나갈 것을 생각하니 벌써부터 학교생활이 재밌어지는 기분이었다.

그렇게 나는 방송부원으로 활동을 시작하였다. 중학교때 방송부 활동을 하며 이미 방송 경험을 해보았던 친구들과는 다르게, 나는 쉬운 마이크 연결조차도 처음 해보는 그야말로 무경험자였다. 따라서 다른 친구들과 선배님들에게 피해가 가지 않게 하기 위해 더 열심히 배워서 따라가고자 목표를 세웠다.

하나라도 더 배우고, 도움이 되기 위해서 누구보다도 열정적으로 활동을 했던 나는 여러 선배님들의 도움을 통해 흔히 말하는 '1인분'을 할 수 있는 방송반 1학년으로 성장할 수 있었다.

나의 방송반 생활이 이렇게 한 편의 동화처럼 좋은 일들만 있었다면 얼마나 좋을까. 방송반으로 활동을 시작한 지 몇 개월이나 지났을 때, 우리는 학교 축제에 재미를 더해줄 방송반 영상을 제작해야 하는 시기가 왔다. 다 같이 대본을 짜고, 영상에 출연해줄 사람을 찾는 일만 해도 빠듯했다. 그런데 이

시간에 배드민턴을 치고 싶어 했던 한 친구가 같이 강당에서 배드민턴을 치자고 했다. 난 솔직하게 '한 시간 정도 놀고 싶다'고 선생님께 말씀드리고 강당으로 놀러가자는 이야기인 줄 알았다.

그렇게 우리는 동아리 담당 선생님을 만나서 강당에서 한 시간 정도만 놀다가 내려오겠다고 말씀드리는 중이었다. 어느 누가 우리의 대화를 들어보아도 알 수 있었다. 축제 영상 준비가 잘 되어있지 않다면 보내주지 않을 것 같은 분위기, 아니 거의 확신에 가까웠다. 그렇기에 난 포기하고 가는 게 좋겠다고 생각하는 순간, 옆에 있던 방송반 친구가 축제 영상이 거의 다 진행되었다는 거짓말을 했다. 난 순간 당황해서 아무 말이 나오지 않았다. 곧바로 정신을 차렸지만, 무슨 생각을 하고 있었던 건지, 나도 배드민턴을 많이 치고 싶었던건지 아직까지도 잘 모르겠다. 하지만 하나 확실한 것은 옆에 있는 친구가 거짓말을 하는 동안 난 아무 말도 하지 않았다는 것이다. 지금 와서 다시 여러 번을 생각해 보아도 진행 과정에 대한 거짓말, 다른 방송부원들에게 조금만 물어봐도 금방 들통날 거짓말이지만 난 왜 그걸 조용히 넘어가 주고 있었는지 지금 생각해도 참 바보 같은 행동이었다.

그렇게 우리는 강당으로 가게 되었다. 너무나도 빨리 들통날 거짓말이라는 것은 전혀 생각하지 못한 채 우리는 그저 신나게 배드민턴을 치고 있을 뿐이었다. 그리고 우리가 했던 거짓말은 생각보다도 더, 놀라울 정도로, 빠르게 들통났고 선배님들께서 우리를 찾아오셨다. 생각이 너무 많아졌다. 뭐라고 말씀을 드릴지, 조금이라도 변명을 하면서 말씀을 드릴지, 그냥 죄송하다고만 하고 있을지, 어떻게 말씀을 드려야 할지 단 하나도 정리하지 못하고 복잡했던 머리를 그대로 가지고 방송실로 내려갔다.

분위기는 내가 생각했던 그대로 아주 작살이 나있었다. 선배님들은 축제 영상 등과 관련한 준비가 얼마나 되었는지를 우리에게 다시 물어보기 시작하였다. 초반에 나는 어떤 대답도 하지 못했다. 같이 배드민턴을 치던 친구가 영상 준비가 어느정도 진행된 것은 사실이라는 근거로 오히려 당당하게 나가는 모습에 선배님들은 더 화가 나는 듯 해보였고, 더 이상 지켜만 볼 수 없었던 나는 곧바로 솔직하게 죄송하다는 말을 전했다.

"조금은 오해도 있는 것 같지만 거짓말을 한 것은 변하지 않아서.. 죄송합니다."

거짓말을 했다고 솔직하게 말씀을 드리는 것이 효과가 있었을까? 선배님들은 나와 내 친구에게 쉴 틈 없이 하시던 질문을 멈추고는 얼른 축제 영상에 대한 이야기를 나누라고 했다. 그렇게 일단은 상황이 넘어 간 듯해 보였다.

우선은 심각한 분위기를 탈출하자고 생각했던 우리 1학년 방송부원들은 스튜디오를 나와 조정실로 가기로 하였다. 다른 학교의 방송반 축제 영상을 보면서 참신하고 새로운 아이디어를 얻어 가고자 했던 의도였고, 조정실로 나온 우리는 그제야 조금이지만 편하게 숨을 돌릴 수 있었다. 그후 여러 이야기를 나눈 결과 우리의 최종 컨셉은 유명 광고 패러디로 결정하게 되었다. 그 자리에서 즉석으로 떠올렸던 광고로는 조정석 광고의 야나두, 아이유 광고의 그날엔 등이 있었다.

나름 만족스러운 컨셉 선정이었다. 잘 찍을 수 있을 자신감도 있었고, 대사 등등을 조금만 변경해도 너무나도 재밌는 영상을 만들 수 있을 거 같았다. 다만 딱 한 가지, 거짓말한 것을 와서 정한 컨셉이라는 점만 아니었다면 그 어느 때보다 멋진 주제이지 않았을까 하는 생각이었다. 그렇게 동아리 시간이 끝나고, 오후 자습을 하고 있던 순간이었다. 자습 시간에는 연락을 거의 하지 않는 나이기에 카톡 또한 오는 일이 거의 없지만, 너무나도 뜬금없는 타이밍에 카톡 알람이 울렸다.

바로 다름 아닌 방송반 선배 한 명이 나에게 정말 긴 장문의 카톡을 보낸 것이다. 난 원래 카톡, 디엠 같은 연락은 절대로 바로 보지 않는다. 이유라면 단순하다. 기록이 철저하게 남는 문자 메시지 공간에서 한 번 보내고 그것을 상대방이 읽으면 다시는 되돌릴 수 없다. 그래서 미리 보기로 상대방의 연락을 먼저 본 후 어떤 식으로 대답을 할지 고민하는 시간이 반드시 필요하기 때문이다. 하지만 이번 경우, 난 미리 보기조차 보지 못하였다. 무슨 내용이 담겨 있을지는 지나가던 강아지도 알 정도로 뻔했지만 뻔한 만큼 무슨 내용일지 너무나도 예측이 잘 가서, 방송반에서 나가라는 이야기가 담겨있을 수 있겠다는 최악의 경우를 상상하기도 했다. 긴 카톡으로 연락을 준 선배님에 대한 예의 없이 나는 자습이 끝날 때까지도 그 카톡을 읽지 못하였다.

　너무나도 당연하게 자습시간에 공부는 하나도 하지 못했다. 그리고 집으로 돌아가는 버스 안에서 이판 사판이라며 생각하고, 세상에 존재하는 죄송하다는 말은 전부 쓸 생각을 하며 선배님의 카톡을 클릭하였다. 그리고 카톡 안에 있던 내용은 지나가던 강아지도 알만한 뻔한 내용... 이 전혀 아니었다. 내 생각과는 전혀 다른 정 반대의 내용으로 시작한 카톡 내용, 처음 본 순간에는 믿을 수 없어 몇 번을 다시 보았지만 내가 본 그 내용이 맞았다. 어떤 내용이 적혀 있더라도 받아들이고 죄송하다고 할 준비를 단단히 했던 나였지만, 선배님이 보내주신 카톡의 내용은 칭찬 가득한 말들 뿐이었다. 솔직하게 거짓말을 했다고 말하고, 곧바로 영상 컨셉을 잘 정했다는 것이 칭찬의 주된 이유였다.

　자책하지 말라고 잘못했음에도 불구하고 여러 칭찬과 이쁜 말들로 위로해 주시는 선배님에게 감사하지 않을 수 없었다. 그중 또 나의 눈에 들어온 건 바로, 이번 일의 시작은 화난 척을 하자는 선배님들의 몰래카메라였다고 했다. 다만 같이 배드민턴을 친 친구가 오히려 잘못한 것 없다는 듯한 태도로 선배님들에게 대답을 했기에, 진짜로 화가 난 선배님들이 몰카라는 걸 이야기해주지 못한 점이 미안하다고 하셨다.

기죽지 말고, 자책하지 말라고 해주신 예쁜 말들도 너무너무 감사하고, 감동이었다. 또 무엇보다도 선배님들이 화를 내던 그 상황이 몰래카메라였다는 것이 나에게는 정말 큰 위로가 되었다. 선배님들이 내 행동 때문에 진심으로 화가 나셨다고 생각하였는데, 당연히 기분은 좋지 않으셨겠지만, 그래도 내가 보고 느꼈던 선배님들의 기분까지는 아니었다는 것이다. 48시간 같았던 하루 동안의 마음고생이 끝날 수 있음을 느끼는 순간이었다.

잘못한 일이었기는 하나, 이걸 몰래카메라였다고 말해주신 선배님은 딱 한 분이셨다. 이 선배님마저 연락을 주시지 않았다고 생각하면... 정말 상상도 하기 싫을 만큼 마음고생을 했을 것 같다. 그렇기에 이 카톡 한 번이 나에게는 너무나도 감사하지 않을 수 없었다. 그렇기에 이때부터라도 이 선배님은 정말로 잘 챙겨 주고 싶었다. 지난번 선배님 생일날 연락 한번 드리지 않은 점을 후회하기도 하였고 맛있는 간식이 많이 남을 때 조금이라도 더 챙겨드리지 않은 점을 후회하기도 하였다.

어릴 때부터 운동부에서만 만난 선배, 후배만 가득했던 나에게 딱 봐도 결이 다른 '동아리 선배'를 챙겨드린다는 것 자체가 쉽지 않아 보이긴 했다. 그렇지만, 늘 그렇듯, 나의 하나뿐인 장점인, 끈기 있게 최선을 다하면 감사함을 조금은 전달할 수 있지 않을까?

그렇게 난 선배님이 졸업하시기 전까지 조금이라도 더 챙기기 시작하였다. 늦게까지 방송부 일을 한 날이랑 발렌타인 데이가 우연히 겹친 날에는 부담스러워하시지 않을 만큼의 작은 초콜릿을 카카오톡 기프티콘으로 보냈다. 또 작년에 연락 한통 드리지 않아서 후회했던 선배님의 생일과는 다르게, 이번 생일에는 정말로 의미 있는 선물을 해드리고 싶어서 평생을 가본 적 없는 올리브영이라는 화장품점에 가서 내 나름대로 향이 가장 좋아 보이는 핸드크림을 골라 선물해 드리기도 하였다.

성격 자체가 많이 소심하고, 친구들, 그중에서도 정말 친한 친구들이 아니라면 심하게 뚝딱 거리는 게 특징인 나의 성격이기에 예상만큼이나 절대 쉽지 않은 일들이었다. 그러나 그 행동들은 당시 고3이었던 선배님에게 크게 피해가 가지 않으면서도, 선배님 기분을 좋게 만들어 드리는 것에는 성공한 듯 해 보였다. 사실 힘든 고등학교 3학년 생활을 잘 이겨내실 수 있도록 어떤 일이든 더 돕고 싶었지만, 시간은 이럴 때에만 너무나도 빠르게 쏜살같이 지나가 버렸다. 선배와 후배를 갈라놓는 가장 큰 벽인 졸업식이 다가왔기 때문이다.

힘들고, 냉혹한 고등학교 수험생 생활을 견디고 12년의 학교생활의 마침표를 찍는 기분이 어떤 기분일지 나는 상상할 수 없었다. 대학 생활에 관한 걱정도 설렘도 많을 것 같았고, 어차피 학교만 떨어지지 집은 대부분 근처에 있어 바로바로 볼 수 있었던 초등학교, 중학교 졸업과는 다르게 이번 고등학교 졸업은 자신이 입학하는 대학의 위치에 맞추어 모두가 흩어지게 되기에 정말 '안녕'이라는 단어가 어울리는 졸업식이라고 생각했기 때문이다.

방송반은 졸업하시는 3학년 선배들에게 장미 한 송이와, 손 편지를 드리는 전통이 있다. 그렇기에 우리끼리 돈을 모아서 사둔 장미꽃이 있었다. 또 내가 다른 꽃다발을 사가면 조금은 부담스러워하시지 않을까? 하는 생각이 있었지만, 학교에서 만나는 마지막 모습이라고 생각이 들어 조금은 욕심을 내기로 결정하였다. 그렇게 난 내가 생각하기에 아주 이쁜 꽃들을 여러 송이 사고, 선배님을 만나기 위하여 강당으로 올라갔다.

3학년 선배님들로 가득 채워져 있던 강당이었지만 내가 찾는 선배님 정도는 어디 계신지 한 번에 알 수 있었다. 졸업이라는 것이 마냥 좋아 보였던 선배님은 친구와 함께 활짝 웃고 있었고, 그런 선배님을 보며 나는 '다행이다'라고 생각하기도 하였다.

몇 분쯤을 기다렸을까. 잠깐이지만 내가 준비한 꽃을 줄 수 있는 시간이 생겼다. 준비한 마지막 꽃과 손 편지를 가지고 싱숭생숭한 마음을 뒤로 한 채 선배님을 만나게 되었다. 방송반 선배와 후배로 만났던 우리가 졸업생과 방송반 학생의 관계로 만나게 되니 나의 아쉬움은 더욱 커져만 갔다. 준비한 꽃과

손 편지를 드리면서 속상한 마음을 꾹꾹 참아가며 선배님께 드린 나의 한 마디는

"졸업 축하드려요." 였다.

선배님의 졸업을 정말로 축하드리긴 하였지만 내 마음은 선배님이 졸업하지 않는 것을 원했기에 조금은 모순되는 마음이었을지도 모르겠다. 세상에서 느껴본 적 없는 여러 감정들이 스쳐 지나갈 때쯤 선배님은 나에게

"졸업은 진짜 그냥 학교만을 졸업하는 거니까, 우리는 언젠가 꼭 다시 만날 거야. 너도 나도 너무 아쉬워하지 말자." 라고 말해주었다.

다음에 꼭 다시 만날 거라는 말이 너무 기분이 좋기도 하였지만, 선배님이 졸업하여 이제는 학교에서 볼 수 없어 속상한 기분을 채워주지는 못하였다. 하지만 시간은 내가 잡을 수 없고, 그렇기에 이제는 정말 선배님을 보내 주어야 했다. 언젠가 꼭 다시 만나고, 힘들 때 언제든지 연락하라는 선배님의 말에 힘을 빌려

"너무 감사했어요"

라는 한마디를 드린 뒤 아쉬움이 가득 남은 강당을 나오게 되었다.

강당부터 1층까지 그리고 늘 똑같은 학교 정문. 하지만 이번에 내가 지나는 학교 정문은 평소와는 다른 정문이었다. 지금 이 정문을 지나가면 2년 동안 나의 학교생활의 든든한 버팀목이 되어 주셨던 선배님을 고등학교에서는 더 이상 보지 못하기 때문이다. 하지만 언젠가 꼭 다시 볼 거라는 선배님의 말을 믿고 씩씩하게 정문을 지나 집으로 돌아왔다.

졸업식에 다녀오고 나서 시간이 얼마나 지났을까? 저녁쯤에 선배님에게 연락이 한 번 더 왔다. 아까 강당에서 자신이 너무 바쁘고 정신이 없어서 고맙다는 말을 제대로 하지 못 했던것 같아서 미안하다는 것이 이유였다.

전혀 아니라고, 괜찮다고 대답하는 나에게 선배님은 자신이 나에게 좋은 영향을 준 것 같아서 뿌듯하고, 자신의 작은 행동이 정으로 바뀌어 지금과 같은 관계를 형성하게 된 것에 감사하다고 했다. 또한 내가 지금처럼 좋은 사람으로 성장했으면 좋겠다는 선배님의 말에 내가 좋은 사람인지 조금은 다시 생각해 보기도 했다. 내가 가장 믿는 선배님이 한 말이기에 말 그대로 정말 '좋은 사람'이 된 것 같아 기분이 너무 좋기도 하였다.

"너는 내가 제일 아끼는 후배이자 동생이다!!"

나에게 더할 나위 없이 좋은 선배가 되어준 사람이 나에게 너무나도 좋은 후배가 되어줘서 고맙다는 말을 해주던 순간에는 울컥해서 눈물이 조금 나오기도 하였다. 그렇게 만나서는 하지 못했던 말들을 더 주고받는 순간이 지나가고 대화가 점점 마무리가 되고 있었다. 아끼는 마음과는 조금은 모순되는 한 마디였지만 이번엔 오르지 진심만이 가득 담긴

"졸업 진심으로 축하드려요."를 전하며 다음 만남을 기약했다.

나도 누군가한테 이런 좋은 선배가 되어줄 수 있을까. 아니, 누군가에게 이렇게까지 좋은 선배는 아

니더라도, 나를 만날 후배들에게 좋은 영향을 조금이라도 줄 수 있을까. 부족한 점이 투성이인 사람, 고쳐야 할 점도, 노력해야 할 점도, 정말 많은 사람이지만 그럼에도 내가 졸업을 하는 순간에 한 명쯤은 나의 졸업을 아쉬워 해줬으면 하는 바람을 가지고 이번 고등학교 3학년을 잘 이겨내 볼 계획이다.

8. 언제까지나 내 후배이길 바라

그 아이는 내가 아는 후배 중 가장 귀여운 후배가 아닐까? 동아리 방송반에서 처음 만난 후, 내가 무슨 일을 도와주거나 하면 항상 똑같은 대답으로,

"너무 감사해요 저 울어요ㅠㅠ"

하는 귀여운 울보 후배이다.
내가 선배로서 많이 부족하다는 점은 나 스스로도

정말 잘 알고 있는 사실이다. 하지만 그럼에도 내가 가까운 선배라는 것에 진심으로 좋아해주고, 남을 위해주는 마음이 정말 따뜻한, 나에겐 너무나도 과분한 그런 후배가 있다.

첫 만남은 동아리 면접날이었다. 학교에 대하여 아무것도 모르던 시절, 면접을 보러 갔었던 1학년 시절을 지나, 면접 심사를 하러 방송실로 되돌아온 위풍당당한 2학년이 되었다. 방송반에 들어오고 싶어 하는 1학년 친구들을 맞이하러 가는 떨리는 면접날에 난 그 후배를 처음 만나게 되었다. 내가 1학년 때 무지막지하게 떨었던 것과는 다르게, 올해 1학년 후배들은 그렇게 많이 떨지도, 긴장을 한 듯해 보이지도 않았다. 다들 우리의 질문에 너무나도 씩씩하게, 크게 말을 더듬지도 않으면서 의젓하게 대답을 잘 해주었기 때문이다.

그중에서도 가장 눈에 띄어서 면접 점수를 가장 잘 준 1학년 후배가 있었는데, 이 후배가 지금 이 이야기의 주인공인 울보 후배이다. 면접 질문에 또박또박 대답을 잘 해준 것은 물론, 방송 쪽과 관련하여 경험도, 지식도 많아 보였다. 희망 진로 또한 미디어 학과를 희망하는 후배였기에 '우리 방송반에 가장 어울리는 후배이지 않을까?' 라는 생각을 하며 가장 높은 점수를 주었다.

그리고 이러한 생각은 나뿐만이 아닌 것 같았다. 같이 면접 심사를 보았던 친구들과 선배님들 또한 비슷한 생각을 가진 듯해 보였다. 그렇게 거의 모든 선배들에게 고득점을 받은 우리 울보 후배는 우리와 같이 방송반으로서 활동하게 되었다.

동아리 첫 시간은 대부분의 후배들이 1차 인수인계를 모두 잘 받아 둔 뒤 도착하였다. 그렇기에 내가 해 줄 일은 잘 기억이 나지 않거나, 어려웠던 부분을 다시 알려주는 역할이었다. 나는 조정실 컴퓨터 부분을 어려워하는 울보 후배에게 조금은 장난을 쳐가며 다시 한번 알려주었고, 아마도 이것이 나와 울보 후배가 친해질 수 있었던 첫 번째 이유였던 것 같다. 이렇게 1학년 후배들이 방송 장비를 다룰 수 있게 된 순간을 시작으로 하여 우리의 1년 동안의 본격적인 방송반 생활을 시작하게 되었다.

늘 그렇듯 우리 방송반은 동아리 시간보다는 그

외 시간에 훨씬 더 많은 일을 하는 동아리였다. 따라서 다른 동아리보다도 훨씬 더 많은 시간을 같이 있을 수 있었고, 1학년 후배들과 더 친해질 수 있었다. 당연히 그중 울보 후배랑도 더욱더 친해질 수 있었고, 그렇게 서로서로가 조금씩 친해질 때쯤 우리의 1년이 언제 이렇게 빠르게 지나갔는지도 모를 만큼 순식간에 지나갔다.

많은 추억을 만들었던 2학년을 지나 3학년이 된 나는 아주 큰 결심을 하게 되었다. 바로 3학년 때는 방송반을 나온다는 큰 결정을 말이다. 처음 방송반 면접을 볼 당시에는 무슨 일이 있더라도 졸업하기 전까지 방송반으로서 활동을 하고 싶었지만, 나 혼자 견디기 힘든 여러 이유들로 인하여 방송반을 그만두기로 결정하였다. 이에 가장 많이 아쉬워했던 후배가 바로 울보 후배였다.

아무리 일이 많은 방송반일지라도 3학년은 거의 참여를 하지 않기에 2학년 후배들이 크게 신경 쓰지 않을 거라 생각했지만, 내 생각이랑은 조금 다른 듯해보였다. 활동에 참여하지 않더라도 이름만이라도 방송반으로 남아줬으면 하는 것이 울보 후배의 마음

같아 보였다. 너무나도 미안한 후배에게 나는

"미안해 내 몫까지 열심히 해줘!"

라고 말해줄 뿐이었다. 그렇게 한창 동아리에 대하여 여러 이야기를 하고 난 후, 울보 후배가 처음으로 동아리 이외에 따로 필요한 부탁을 하기 시작하였다. 바로 내가 2학년 시절 보았던 시험지를 받아 가고 싶다는 부탁이었다.

어떤 일이든 도와주고 싶은 마음으로 들어보았지만, 원래 도와주는 것도 능력이 있어야 도와줄 수 있는게 맞다. 나는 2학년때 시험지를 챙겨두지 않았기 때문에 당연하게도 울보 후배에게 줄 수 있는 시험지도 없던 것이었다.

어떤 식으로도 울보 후배를 돕고 싶었던 나는 여러 친구들에게 2학년 때 시험지가 있냐고 물어보았지만 한 명도 빠짐없이 모두 다 버렸다는 이야기만 할 뿐이었다.

열심히 연락을 돌리고 돌려 보았지만 결국엔 나도

시험지를 구하지 못하였다. 울보 후배에게 나도 구하지 못하였다며 2학년 시험지 대신에 3학년 선택과목인 윤리와 사상이나, 정치와 법 시험지 중 필요한 과목이 있다면 꼭 챙겨두겠다고 약속을 했다. 그랬더니 울보 후배는 자신도 3학년 선택과목을 윤리와 사상과 정치와 법으로 생각하고 있다면서, 챙겨주면 너무 감사할 것 같다고 하였다.

3학년 시험지라도 챙겨 줄 수 있어서 정말 다행이라고 생각하였고, 나는 절대로 까먹지 않기 위해서 내가 하루에 가장 많이 보는 내 책상 옆 컴퓨터 본체에 써두었다.

"3학년 시험지 꼭 챙겨두기."

그리고 또 내가 도울 수 있는 건 없는지 생각을 해보다가 너무 많은 걸 도와주겠다고 하면 그 말들로도 울보 후배에게 부담이 될 것도 같았기에, 궁금하거나 물어보고 싶은 것이 있으면 편하게 물어보라고 해주었다.

이에 울보 후배는 감사하다며, 궁금하거나 할 때

마다 연락을 드리겠다고 했다. 또 너무 많이 보내서 자신을 차단해도 모른다는 둥 다양한 재미있는 이야기를 하였다. 덕분에 내가 방송반을 나오게 되었지만, 그저 평범한 3학년 선배로서도 쭉 이어서 친하게 지낼 수 있게 되었다.

그리고 시간이 얼마나 지났을까. 오랜만에 울보 후배와 연락을 하게 되었는데, 울보 후배는 거의 울기 직전인 상태로 나에게 조금은 놀랄만한 이야기를 전해 주었다. 바로 방송반을 나가게 되었다는 이야기였다. 사실 당황하지 않을 수 없었던 이야기였지만 울보 후배가 너무나도 속상해하는 거 같아서, 우선은 조금 진정하라고 한 후 자초지종을 묻기 시작하였다.

그렇게 나는 울보 후배가 방송반을 그만두기로 결정하기까지 여러 이야기들을 들을 수 있었다. 이야기를 다 들은 후 내가 든 생각은 다름 아닌 '많이 속상하겠다.'는 것이었다. 하지만 울보 후배는 속상한 자신의 마음은 뒤로 한 채 나에게 너무 죄송하다며 어떤 말을 해야 할지도 잘 모르겠다는 말을 했다. 그렇게 하염없이 속상해할 뿐이었다.

괜찮다는 말을 정말 수도 없이 해주었다. 그저 울보 후배를 위로해 주기 위해서 해주는 '괜찮아'가 아닌 정말로 괜찮아서 나오는 그런 '괜찮아'였다. 울보 후배가 미디어 학과를 희망하기도 하기에 방송반을 포기한다는 게 사실은 좀 아쉽기도 했다. 그러나 당장 문제는 지금 바로 다른 동아리를 구해야 한다는 것이었다. 방송반 이외에 미디어 학과랑 잘 맞는 동아리를 구할 수 있을지가 내 머릿속에 가장 먼저 든 걱정이었다.

울보 후배와 길게 이야기를 나누면서 울보 후배는 연락을 시작할 때보다는 훨씬 더 괜찮아진듯 해보였고, 새로운 동아리를 구하는 것을 가장 우선적으로 해결해 보기로 하였다. 울보 후배가 지금까지 혼자 마음고생을 많이 했을 것 같기에 내 마음도 좋지 않았다. 이번 역시도 크게 도움이 되어주지 못했기에 더욱더 미안한 마음이 들기도 하였다.

여기까지도 충분히 힘들었을 울보 후배였지만, 울보 후배를 힘들게 할 문제는 여기서도 끝이 아니었다. 다름 아닌 공부하는 과목 중에서 '윤리'라는 과목이 자신과 정말 잘 맞지 않는 거 같다는 것이다.

당장의 시험도 문제이고, 3학년 때 선택하기로 생각했던 선택과목들도 바꿔야 할지 많은 고민이 든다는 것이었다.

나도 2학년 때 했던 과목 중 '지리'라는 과목이 정말 뼛속까지 잘 맞지 않았던 기억이 있었다. 그렇기에 나도 3학년 선택과목을 한국 지리에서 정치와 법으로 변경한 것이었기에 울보 후배의 고민들에 남들보다도 훨씬 더 공감할 수 있었다. 그렇게 나는 울보 후배가 어떤 과목을 선택하여도 편하게 시험지를 풀어 볼 수 있도록 '사회 탐구 과목은 모조리 받아 두자!'고 생각했다.

내가 윤리와 사상과 정치와 법 시험지를 챙겨 주어도, 다른 과목을 선택한다면 또 힘들게 시험지를 구하려고 노력할 것이 너무 뻔하게 보였기 때문이다. 많은 고생을 하고 있는 울보 후배였기에 내가 조금이나마 짐을 덜어주고 싶었고, 사회 탐구 과목을 모두 챙기자는 나의 생각은 다행히도 울보 후배의 짐을 나름 덜어줄 수 있었던 것 같다.

평소 행동이나 말이 똑 부러지고 선배, 친구, 후배

할 거 없이 많은 사람들과 잘 어울려 지냈던 울보 후배여서일까? 힘들어하던 모습은 어디로 갔는지 자신의 희망 진로인 미디어 학과와 잘 어울리는 다른 동아리를 찾아 들어가게 되었다는 연락을 금방 받을 수 있었다. 그제서야 울보 후배를 힘들게 했던 여러 일들이 차차 잘 해결되어 나가는 듯 해보였다.

이 이후로 전보다도 훨씬 더 친해진 우리는 여러 연락을 주고받기도 했다. 맛있는 간식을 주고 받기도 하면서 이제는 둘 다 방송부원이 아니었지만, 방송반 선후배일 때보다 훨씬 더 친해지는 신기한 상황을 맞이하기도 하였다. 또 여러 이야기로 연락을 주고 받던 중에 울보 후배는 나에게 '전교 회장'에 관심이 있다는 말을 해주었다. 내 오랜 절친인 재빵이가 전교 회장임을 알고 있던 울보 후배였기에 전교 회장에 대하여 이것저것 여러 궁금한 점이 많아 보였다. 전교회장을 하며 재빵이가 성장하는 것을 바로 옆에서 보았던 나이기에 전교 회장에 나가 보는 게 좋은 경험이 될 수 있을지 묻는 울보 후배에게 난

"다시는 못해볼 경험이라 꼭 해봤으면 좋겠어, 난."

이라고 말해주었다. 울보 후배가 전교 회장 선거에 나가는 것에 적극적으로 찬성을 하니, 울보 후배는 전교 회장에 도전하기로 마음을 정하였다.

울보 후배는 전교 회장에 출마하면서도 걱정이 많아 보였다. 그 이유는 경쟁 상대로 나온 다른 후보자가 인기도 많고 당선이 너무나도 유력하다는 것이 이유였다. 솔직히 나는 저 이야기를 들었을 때 '잘 모르겠다'는 생각이 가장 크게 들었다. 울보 후배도 인기도 정말 많고, 전교 회장이 된다면 그 누구보다 잘 할 후배이기 때문이었다. '과연 그렇게 차이가 클까? 난 아닐 거 같은데.'라는 생각이 내 머리를 가득 채웠다. 그리고 이런 나의 생각은 절대 나만의 생각이 아니었다. 우리 울보 후배가, 그 누구보다 당당하게, 재빵이의 뒤를 이어 전교 회장에 당선이 되었기 때문이다. 내가 생각하는 것 만큼이나 정말 대단한 후배라는걸 다시 한번 실감하는 계기이기도 하였다.

가끔은 내가 주눅들 정도로 멋있고, 자신이 힘들 때에도 다른 사람부터 생각해 주는 멋진 사람이 내 후배라는 것에 더욱 감사하기도 하였다.

재빵이가 전교회장을 하면서 많이 힘들어 한 순간도 있었다. 따라서 울보 후배의 전교회장 생활도 매 순간이 좋은 경험이지만, 유익한 배움만 가득한 그런 순간일 순 없을 것이다. 분명 자신의 마음에 들지 않아 힘든 순간도 많겠지만, 대체로 훨씬 더 많은 날이 좋은 경험으로 남았으면 하는 것이 나의 마음이다.

울보 후배는 나의 졸업식에 꼭 인사를 하러 오겠다고 해준 유일한 후배이다. 그리고 나의 졸업식이 다가오고 있는 지금, 아직은 졸업까지는 시간이 좀 남아 있지만, 약속대로 졸업식날에 나한테 시간을 조금 내어 인사를 하러 와주면 분명히 내 기분이 좋지 않을까? 첫 만남 때처럼, 졸업식에도 방송반 선후배로 만나는 것도 분명 의미가 있겠지만, 오히려 나는

방송부 지원자 - 방송부원
방송반 선후배
방송부원 - 3학년 선배
친한 선후배
와 같이 더 많은 관계로 만날 수 있었기에

졸업식날 보게 된다면 훨씬 더 의미 있는 졸업식이 되지 않을까? 조심스럽게 예상해 본다. 울보 후배가 해준 말 중에

"평생 제 선배 해주세요!!"

라는 말이 가장 기억에 남는다. 아마 내가 나름 좋은 선배이기에 저런 말을 해주지 않았을까? 단순히 내 기분만을 위해 한 말이 아닌, 진심으로 나에게 해준 말이라는 것을, 다른 사람이라면 모를 수 있어도 나는 느낄 수 있었다.

진심에는 진심으로 답해야 통하는 법. 저 부탁에 나도 내가 전할 수 있는 최선을 담은 진심으로 대답을 해주었다. 앞으로도 이 약속들이 깨지는 일이 절대로 없기를 바라면서!

"너도 평생 내 후배 해줘!!"

9. 온 마음을 다해 사랑해요

'엄마' 라는 단어는 마법의 단어이다. 듣기만 해도 뭉클해지고, 마음 한편이 아련해지는, 그 무엇과도 바꿀 수 없는, 이 세상에서 가장 소중한 존재인 어머니에 대한 이야기를 해보려고 한다.

솔직하게 말하고 시작하자면, 난 아버지와의 사이가 좋지 않다. 정확하게는 정말 정말 정말 정~말 좋지 않다. 이제는 대화 한 번 섞기 싫어졌을 정도로, 사이가 좋았던 어린 시절로는 돌아가기 힘들 정도로 멀어진 관계가 되어 버렸다.

처음 갈등이 크게 일어났던 일은 중학교 3학년 시절, 내가 공부를 하면서 음악을 듣는 것을 아버지께서 막으시려다가 일어난 갈등이었다.

"그렇게 공부를 하면 그게 공부냐, 그렇게 해서는 집중을 할 수 없다."

아버지께서 항상 하시던 말씀이셨다.

"저는 음악을 들으면서 공부를 해야 더 집중이 잘돼요."

항상 하시던 아버지의 말씀에 나 역시 똑같이 대답했다.

시험장에서는 음악을 들을 수 없기 때문에 음악 없이 공부를 해야 한다고 말씀하셨다면, 조금은 더들으려고 했을지도 모르겠다. 그저 자신은 음악을 들으면 집중이 잘 안됐다는 이유만으로 나까지도 강

제하려는 아버지의 모습을 하루하루 꾹꾹 참아가는
날이 반복되던 중, 일어나서는 안 될 일이 일어났다.

아버지께서 더는 참으실 수 없으셨는지, 나에게
한 번만 더 음악을 들으면서 공부한다면, 크게 혼낼
것이고, 휴대폰이고 컴퓨터고 뭐고 다 부숴 버린다
고 하신 거였다.

난 자신과는 다를 수 있다는 점을 전혀 고려하지
않고 자신의 생각만을 밀어붙이는 아버지의 생각을
전혀 이해할 수 없었다. 그렇기에 나는, 정면으로 돌
파하기를 선택했다. 항상 갈등의 상황엔 아버지의
말이 맞을 거라는 생각으로 "죄송합니다."라고 말해
왔던 내가 처음으로

"이건 아버지가 틀렸어요."라고 말하는 그야말로
정면돌파를 선택한 것이었다.

평소에도 아버지께서는 자존심이 강하다는 점은
잘 알고 있었다. 그렇지만 더 이상은 내가 무엇을
잘못 한 지도 모르게 "죄송합니다."한 마디 뱉어버리
고 끝내는 일을 하고 싶지 않았다.

"노래를 들어서 집중이 잘 되고 안 되고는 사람마다 다 다른 건데, 강제하지 마세요."

지금 생각해도 난 저렇게 말한 내 의견이 정말 타당하다고 생각하지만, 아버지에겐 아니었다. 아버지께서는 부모님이 말을 했는데 고쳐보려고 노력하기는커녕, 반항이나 한다며 목소리를 높이셨다. 그 이후 정말 수많은 험한 말들이 오고 갔다. 사실 나도 알고 있었다. 이 싸움을 끝내려면 결국 내가 먼저 죄송하다고 해야 한다는 것을. 몇 시간을 눈치만 보고 있는 누나와 어머니가 있었기에 더 이상 스트레스를 받기 싫었던 난 먼저 아버지에게 죄송하다고 말씀드렸다. 돌아온 아버지의 말씀은

"그렇게 싫으면 집 나가서 살아." 였다.

속상했다. 당장이라도 울음이 터질 것만 같았고, 그 자리에서 울기 시작한다면 뭘 잘했다고 우냐고 뭐라 하실 게 뻔했다. 나는 바로 내 방으로 들어왔고 침대에 누워서 하염없이 울기 시작하였다. 그렇게 몇 시간을 조용히 울었을까, 어머니께서 물 한 잔을 들고서는 내 방으로 들어오셨다. 내가 방에서

혼자 울고 있는 모습에 마음이 좋지 않으셨던 거 같았다. 그리곤 하시는 어머님의 말씀은

"아빠가 고집이 많이 강하지?" 였다.

어머니께서도 아버지와의 갈등 상황에서는 항상 자신이 잘못했다고 말해야 한다면서, 내 억울함을 이해한다고 말해주셨다.

나에게 갈등이란 서로가 잘못한 부분이 있어서 일어나는 일이기에, 양쪽 모두가 자신의 잘못을 사과해야 하는 것이라고 생각한다. 하지만 우리 아버지께서는 '사과'라는 단어는 모르시는 듯 해보였다. 크게 싸운지 하루가 지나고, 이틀이 지나고, 내가 죄송하다고 말씀을 드린지 며칠이 더 흐르고 흘러도 아버지께서는 사과하실 마음이 전혀 없어 보이셨다.

이것이 아버지와 멀어지기 시작한 가장 큰 이유였다.

'사과할 줄 모르는 사람'

저런 부류의 사람들을 중학교 3학년까지 살아오면서 가장 싫어했는데, 그게 우리 아버지도 포함이라고 생각하니 점점 더 아버지와는 멀어져만 갔다.

어머니께서는 어떻게 해서든 나와 아버지의 관계를 회복하고 싶어 하셨다. 내 얘기를 충분히 들어주려고 노력하는 모습이 내 눈에도 보였고, 화목한 가정으로 돌아가고 싶어 하는 모습이 마음에 박힐 정도로 말이다. 하지만 현실은 차가웠다. 아버지와 나는 눈만 마주쳐도 화가 나기 시작하였고, 더욱더 자주 싸우기 시작하였다. 그리고 그렇게 자주 싸울 때마다 오히려 어머니께서 더 힘들어하시는 모습이 보이곤 했다.

그렇게 반복되는 싸움에 지친 나는 어머니의 가슴에 못을 박는 말을 하게 되었다.

"이런 집 제가 나갈게요. 20살까지만 키워주세요."

난 알고 있었다. 이런 말을 하면 어머니께서 슬프실 거라는 것도, 속상하실 거라는 것도. 어쩌면 이런 말을 할 사람이 어머니밖에 없었기에 할 수 있었던 말인가 싶기도 하다가도 과거로 돌아갈 수 있다면 하지 않을 말 중에 하나이기도 하다.

어머니께서는 속상한 티를 내지 않으셨다. 그저 미안하다는 말만 반복하실 뿐이었다. 도대체 어머니께서 왜 미안하신지 전혀 이해할 수 없었지만, 난 아무 말도 하지 않았다. 아버지와 싸울 때마다 내 얘기를 들어주시러 오시는 모습이 감사했지만, 그마저도 표현하지 않았다.

이제는 집이 가장 불편한 장소가 되어버렸다. 가능하다면 학교에서 자고 먹으며 생활하고 싶을 정도로 나에게 집이란 지옥 같은 곳이 되어버리고 있었다. 그리고 이런 상황의 나에게 쐐기를 박아버린 아버지의 한마디가 있었다.

고등학교 1학년 시절, 이번에도 별다를 바 없이 아버지와 나는 싸우고 있었고, 나는 정말 대화가 통하지 않는다고 느꼈기에 허탈한 웃음을 아버지에게 보였다. 그리고 이 웃음을 아버지께서는 비웃음으로 인식하셨는지, 날 주먹으로 때리려고 하시며 어머니께 한 말씀을 하셨다.

"저런 놈이 우리 나이 들어서 늙고 병들고 하면 칼 들고 다 죽일 놈이다. 얼른 집에서 내보내라."

난 이미 아버지에게 들을 수 있는 나쁜 말이란 말 들은 다 들었다고 생각했기에 그 어떤 말을 들어도 상처를 받지 않을 것이라고 생각하였다.

"잘 못 낳았고, 잘 못 키웠다."

라는 말은 이제는 나에게 상처도, 뭣도 아닌 정도였으니 말이다.

한순간에 나를 살인자로 만들어 버리는 아버지의 저 말씀은 죽는 순간까지도 잊지 못할 것 같다. 그 말을 들은 이후 난 정말 모든 걸 포기하였다. 더 이상은 아버지와 싸우기는커녕, 말 한마디 섞지 않았고, 남들에게는 휴식이 되어주는 집이라는 공간이 나에게는 지옥 그 자체가 되었다. 난 막막했다. 이런 지옥 같은 공간이 적어도 고등학교 3학년 졸업까지 2년 가까이를 더 지내야 할 공간이었기 때문이다. 학교와 학원에서 힘들게 공부를 한 후 도착한 집이라는 공간이 나에게는 더 힘든 공간이었기에, 앞으로 집을 떠날 명분이 생기는 20살 전까지 '이렇게 살 바에는 그냥 죽는 게 좋지 않을까?'라는 생각을 몇 번을 했는지 모르겠다.

이런 마음을 어머니께서 읽으셨는지는 모르겠다. 그렇지만 하나 확실한 점은 내가 이렇게 살아서 글을 쓸 수 있는 이유는 어머니께서 내가 살아갈 수 있는 버팀목이 되어주셨기 때문이다. 어머니께서도 나 못지않게 정말 큰 스트레스를 받으셨을 것이다. 그럼에도 내 앞에서는 아무렇지 않은 척을 하시며, 날 달래고, 위로해 주고, 자기가 좀 더 잘 해보겠다며 미안하다는 말을 수도 없이 해주셨다. 내 앞에서는 단 한 번의 힘든 티도 내지 않으셨다. 어머니께서는 내 세상에서 가장 강한 사람이셨다. 그리고 난 내 세상에서 가장 강한 어머니가 무너지는 걸 보고 싶지 않았기에, 더 강하게 버티고 공부하기로 마음을 먹었다. 나를 위해 한없이 노력해주시는 어머니가 있기에, 나도 더 아갈 용기를 얻을 수 있었다.

그렇게 나는 보통 정신력이 아니면 견디기 힘들다는 고등학교 3학년 생활을 잘 이겨내는 중이다. 가끔은 어머니의 희생으로 나아가는 한 발짝이 너무 죄송한 순간도 많았다. 그 한 발짝이 최선을 다해도, 주신 희생에 비해서 너무 보잘것없었던 경우가 많았기 때문이다. 그럼에도 항상 웃으며 칭찬해 주시는 어머님을 볼 때면, 더 잘하고 열심히 해야 하는 이유를 찾고 한다.

항상 미안하다고 말씀하시는 우리 어머니이시지만 난 어느 누가 오든 당당하고 자신만만하게 말 할 수 있다. 우리 어머니는 최고의 어머니라고. 내가 진심으로 사랑하고, 감사하는 어머니라고.

앞으로 남은 평생을 행복하게 해드리고 싶은 우리 어머니는 아직도 내가 아버지를 용서하기를 바라시고 있으시다. 정말 죄송하다. 나에게는 더 이상 아버지를 용서할 마음도 용기도 없기 때문에, 앞으로도 어머니의 바람은 이루어 드릴 수 없을 것 같다. 이런 내가 어머니를 웃게 해드릴 방법은 내가 잘 되는 것이라고 생각한다. 하루하루 열심히 노력하고 공부해서 좋은 대학에 들어간다면 아버지를 용서하지 않고도 행복하게 해드릴 수 있을 거라 생각한다.

지금까지, 그리고 앞으로도 내가 열심히 살고, 최

선을 다할 수 있는 이유이다. 가끔 지쳐 힘든 순간이면 꼭 한 번씩 떠올려 봐야 할 마음가짐이다.

만약 다음 생이라는 것이 있다면,

결혼 같은 거 하지 말고 어머니가 좋아하는 일을 하시면서 행복하셨으면 좋겠다고 생각한다.

어머니의 소원대로, 난 태어나지 못해도 괜찮으니, 나를 위한 희생은 이번 생까지만 하셨으면 좋겠다.

10. 가장 친했어야 할 사람

태어난 순간부터 단 일분도 빠지지 않고 나와 평생을 함께 해온 친구가 있다. 이 친구가 유치원을 다닐 시절에는 다른 친구들에 비하여 유난히 힘이 약했고, 자신을 놀리는 친구들을 향해서 그 어떤 한마디도 하지 못했으며, 비쩍 마른 체격을 가지고 있던 내 친구는 유치원에서도 언제나 놀림의 대상이 되기 일쑤였다.

언제까지나 놀림을 받으면서 살아갈 순 없기에, 이 상황을 해결할 내 친구가 선택한 방법은 바로 '태권도'를 배우기 시작하는 것이었다. 태권도를 배워서 자신감을 기르고, 여러 기술을 익혀나간다면 놀림을 받지 않을 거라는 친구와 부모님의 기대와 함께 말이다. 그렇게 태권도를 시작한 내 친구는 여러 태권도 분야 중에서도 '겨루기'라는 분야에 가장 흥미를 보였다. 틀에 박힌 동작을 외워 반복하는 '품세' 라는 종목보다는, 3분 동안 자신의 기술을 자신만의 방법으로 펼쳐나가고, 상대의 기술을 예측하여 자신의 기술로 반박하는, 서로의 발차기가 오가는 1초 2초 동안에도 셀 수 없이 많은 심리전이 오가는 그런 매력 있는 종목인 겨루기에 큰 흥미가 있어 보였다.

운이 좋았다고 해야 할까? 내 친구가 다닌 태권도장에는 겨루기 대회를 중점으로 준비하는 '겨루기 선수부'라는 특별반이 있었고, 겨루기에 큰 흥미를 보이며 좋은 재능이 있다고 평가받았던 내 친구는 당시 도장에서 가장 어린 나이에 '겨루기 선수부'에 입단하게 되었다.

태권도, 그중에서도 겨루기를 시작한 후 내 친구는 더 이상 유치원에서 놀림을 받는 일은 없어졌고, 한층 더 커진 목소리와 자신감 넘치는 행동들로 많은 친구들도 사귈 수 있게 되었다. 태권도 덕분에 친구도 사귀고, 재미있게 겨루기까지 하는 친구의 생활은 상당히 만족스러워 보였다.

꾸준하게 겨루기라는 종목을 훈련하고 기술을 갈고닦은 내 친구는 결국 겨루기 대회라는 곳에 출전하게 되었다. 처음으로 태권도장의 이름을 걸고 출전하는 대회였기에 마음가짐이 남달라 보였지만, 그 대회의 성적은 그야말로 처참하였다. 흔히 말하는 'KO패배'를 당했고, 연습했던 기술을 단 하나도 사용해 보지 못하고 경기가 종료되었기 때문이다. 친구의 기분은 알기 어려운 표정들의 연속이었다. 괜찮아 보이면서도, 어느 한구석 아쉬운 감정을 숨기지 못하는, 하지만 내 친구는 이런 마음을 모두 읽었는지 애써 웃으며 걱정하는 모두를 향하여 크게 말했다.

"난 괜찮아! 다음 대회에 더 잘할거니까!"

정말 내 친구다운 한마디였다. 그 당시 친구 도장의 대회 결과는 그리 좋지 못했고, 다음 대회를 위하여 열심히 준비해 보자는 파이팅을 다지며, 그렇게 내 친구의 첫 대회가 막을 내렸다.

그리고 그 후 초등학교 3학년까지 몇 번의 대회를 더 출전해 좋은 업적을 쌓아온 내 친구는 대전에서 꽤 유명한 겨루기 선수가 되어 있었다. 그리고 이런 내 친구에게 정말 황금 같은 기회가 찾아왔다. 바로 전국 대회 출전 선수 선발을 위한 '대전 대표 선발전'이었다.

대전에서 이름이 조금 있는 선수들이란 선수들은 모두 참가하는 대회이기에 내 친구는 더욱더 이를 갈고 대회를 준비하기 시작하였다. 대전 대표가 된 자신을 상상하며 고된 훈련을 버티고, 체중 조절을 위하여 맛있는 음식을 참아가며 하루하루를 버티고, 대전 대표 선발전에서 좋은 성과를 내기 위하여 최선을 다하여 노력하였다.

간절함이 통했을까, 아니면 내 친구의 노력이 통했던 것일까. 최선을 다해 준비했던 내 친구의 대전 대표 선발전은, 정말 압도적인 실력 차이로 내 친구의 우승이었다. 친구의 대회 영상을 돌려보면서 감탄을 할 정도로 훌륭한 기술들의 연속이었다. 그리고 자연스럽게 도장을 대표해 대회를 출전하던 내 친구는, '대전'을 대표해서 겨루기 대회를 준비하기 시작하였다. 훈련의 강도는 더욱더 높아졌고, '전국 대회'라는 이름이 주는 부담감은 내 친구를 더욱더 힘들게 만들었다. 하지만 내 친구에게 이 정도는 아무렇지 않은 듯 해보였다. 좋은 선수가 되기 위해서는 꼭 거쳐야 하는 과정이라 생각하며 하루하루를 견뎌 나가는 내 친구가 대단하다는 생각이 들기도 하였다.

힘든 하루하루를 견뎌 도착한 친구의 전국 대회의 성적은 놀라울 정도였다. 비록 메달 획득은 실패하였지만, 3위/4위 결정전에서 패배한 내 친구는 무려 전국에서 4등인 겨루기 선수였기 때문이다.

하지만 내 친구는 3등을 하였다면, 대전이 메달 획득에서 전국 1등을 이룰 수 있었기에, 대전에 위치한 도장의 수많은 관장님들이 경기를 지켜보았다고 했다. 하지만 결국 그 경기를 이기지 못하였고

이 점이 내 친구를 더 아쉽게 만들었던 것 같았다. 그럼에도 내 친구의 도장에서는 정말 훌륭한 업적이 맞았기에, 내 친구는 큰 박수와 환호를 받으며, 다시 도장으로 돌아갈 수 있었다.

이렇게 쭉 내 친구는 행복한 겨루기 생활을 이어 나갈 수 있을 줄 알았다. 지금처럼 노력한다면 분명 전국 대회에서 더 좋은 성적을 거둘 수 있을 것이고, 전국 대회에서 좋은 성적을 이어 나간다면, 운동선수의 꿈이라고 할 수 있는 '국가대표'도 그리 멀지 않다고 생각했기 때문이다.

그렇지만 이게 무슨 일인가? 내 친구는 점점 '겨루기'에 대한 흥미를 잃어가는 듯 해보였다. 전국 대회 4등이라는 놀라운 성적 이후, 너무나 커져 버린 기대감을 아무리 노력해도 충족시킬 수 없다는 것이 그 이유였다. 좋아해서 하던 겨루기는 이젠 점점 사라져만 가고 있었고, 의무감에 하는 겨루기가 되어 가고 있었다.

이후 내 친구의 겨루기 대회 성적은 좋지 못한 성적들의 연속이었다. 내 친구를 '반짝 스타'라고 부르는 사람들이 점점 더 늘어났고, 더 이상은 겨루기에 흥미도, 재미도 없었던 내 친구는 유치원생부터 중학교 1학년 직전까지 이어왔던 태권도 생활을 결국 그만두게 되었다.

내 친구는 공부를 시작하기에는 너무 늦었다고 생각한 모양이었다. 바로 공부를 시작하기보다는, '축구'라는 스포츠에도 도전을 해 보았고, '음악'이라는 분야에도 도전을 해 보았다. 내 친구는 축구와 음악 모두 꽤 좋은 재능이 있다고 평가받았고, 두 분야 모두 멋진 활약을 펼치는 듯 해보였다.

하지만 축구와 음악 모두 끝까지 이어 나가지는 못하였다. 그만두는 이유는 모두 동일했다.

"압도적 재능의 차이를 메꿀 수 없다."

남들이 보기엔 '뭘 해도 잘하는 사람'으로 보였지만, 내 친구에게는 그저 사람을 미치게 만드는 애매한 재능을 여러 개 보유한 사람이라고 생각하는 듯 해 보였다. 그렇게 중학교 3학년 동안 여러 경험을 해본 내 친구였지만, 결국 고등학교에 들어가는 순간에는 공부를 시작하게 되는, 그리 좋아 보이지는 않는 시나리오가 이어졌다.

하지만 지금까지의 여러 경험이 의미가 없는 경험들은 전혀 아니었다. 최선을 다해 여러 분야를 도전했지만 성공하지 못했던 경험들은, 이제부터 이어질 고등학교 3년 동안 공부에 최선을 다하지 못한다면 정말로 더 이상은 성공할 길이 없다는 것을 그 누구보다 잘 알게 해주었다. 그렇게 내 친구는 고등학교부터는 정말 진심을 다해서, 공부에 매진하기 시작하였다. 초등학교, 중학교까지 공부라는 건 해본 적이 없는 내 친구였기에 공부를 어떻게 해야 하는지도 몰랐다. 초등학교와 중학교에서 배웠어야 할 기초적인 지식도 부족한 상황이었다. 그렇기에 내 친구는 일단은 오래 앉아 있으면 뭐라도 더 공부하지 않을까 하는 생각으로 '야간 자율 학습'을 신청하였고, 그렇게 내 친구는 진정한 '공부'라는 것을 시작하게 되었다.

아무리 열심히 노력한다해도 1학년 성적은 당연히 좋지 못했던 내 친구였다. 사실 성적이 잘 나온다면 그게 더 이상한 상황이었기에 내 친구는 흔히 말하는 '상승 곡선'을 만들겠다 다짐하며 점점 더 발전하는 모습을 보였다. 그렇게 성적을 더 올리고 공부법을 다듬어 내신 상위권으로 올라온 2학년을 지나, 이제는 자신만의 공부법을 완성하고, 다른 친구들에 비해서도 아쉽지 않은 성적을 받았던 3학년을 마무리했다. 내 친구는 처음 고등학교에 들어오면서 입학하고 싶다고 생각했던 학교에 수석 합격을 받는 성과를 이루어냈다.

글을 읽으며 눈치를 챈 사람이 있었을까? 사실 이번 마지막 파트의 주인공인 '내 친구'는 바로 다름 아닌 이 글의 작가인 '나'이다. 가장 친했어야 하고, 서로를 가장 잘 알았어야 할 친구였지만, 평생을 싫어하며 살아왔던, '나'를 위해서 쓴 마지막 파트의 글이었다.

누구든 각자의 사연을 가지고 살아가지만, 고등학교 3학년 입시를 마치는 순간까지 결코 무난하지 않았던 내 사연들을 잘 이겨낸 나를 위해 박수를 보내줄 시간이라고 생각한다.

조금은 못나도 영원한 내 편인 나에게,
최선을 다해 노력하고 기를 썼던 나에게
나는 이제서라도 나를 사랑해보려고 한다.

최선을 다해 노력하는 방법을 알려준 나에게,
지금껏 올바르게 성장하려 노력한 나에게

수고했고, 앞으로도
잘 부탁한다는 말을 전하고 싶다.